Billy Stuart et Cie

Les données de catalogage sont disponibles auprès de Bibliothèque et Archives nationales du Québec et de Bibliothèque et Archives Canada.

Éditrice : Colette Dufresne
Directrice artistique : Marie-Ève Boisvert, Éditions Michel Quintin

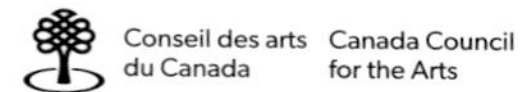

Financé par le gouvernement du Canada | Canada

La publication de cet ouvrage a été réalisée grâce au soutien financier du Conseil des arts du Canada et de la SODEC.

Gouvernement du Québec – Programme de crédit d'impôt pour l'édition de livres – Gestion SODEC

ISBN 978-2-89762-268-8

Dépôt légal – Bibliothèque et Archives nationales du Québec, 2018
Dépôt légal – Bibliothèque et Archives Canada, 2018

Éditions Michel Quintin
Montréal (Québec) Canada
editionsmichelquintin.ca
info@editionsmichelquintin.ca

1 8 - L E O - 1

Imprimé en Chine

La vallée des GÉANTS

TEXTE : ALAIN M. BERGERON
ILLUSTRATIONS : SAMPAR

ÉDITIONS MICHEL QUINTIN

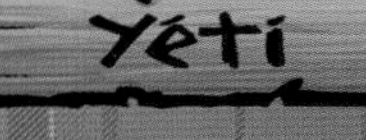

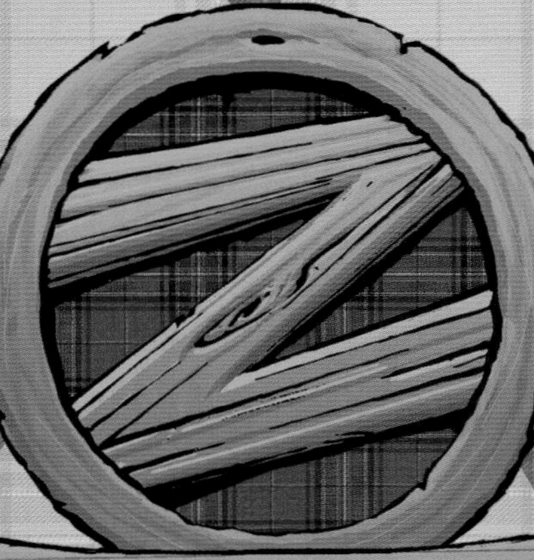

Muskie

Froufrou

Cher lecteur, je me présente :
je suis Alain M. Bergeron,
l'auteur à qui Billy Stuart a raconté
ses nombreuses aventures.

Ma présence dans ce livre se fait
par l'intermédiaire du

MOT DE L'AUTEUR

Tu repéreras facilement
mes interventions grâce à l'encadré
qui ressemble à une note collée
dans la page.

Bla bla blabla blablabla bla
bla bla blablabla bla blabla
blablablablabla... Blablabla
blablabla, bla bla bla! Bla
blablablabla bla bla bla. Bla
bla bla bla blablablabla
bla blabla bla bla!!

1
Le colosse de PIERRE

Je m'écrie :

— Nous sommes CERNÉS !

Galopin, le caméléon, examine mon visage et réplique :

— Non, tu n'as pas de cernes sous les yeux, Billy Stuart.

Déjà un mot de l'auteur après quatre lignes... Voilà qui commence bien ! Quand Billy Stuart parle d'être cerné, il veut dire « être entouré, sans possibilité de fuir » et non « avoir des cernes sous les yeux », ainsi que plaisante son ami Galopin.

Comment le caméléon peut-il faire des blagues alors que les Zintrépides sont en DANGER ?

Pour éviter toute confusion, je précise :

— Nous sommes cuits !

Galopin renifle l'air.

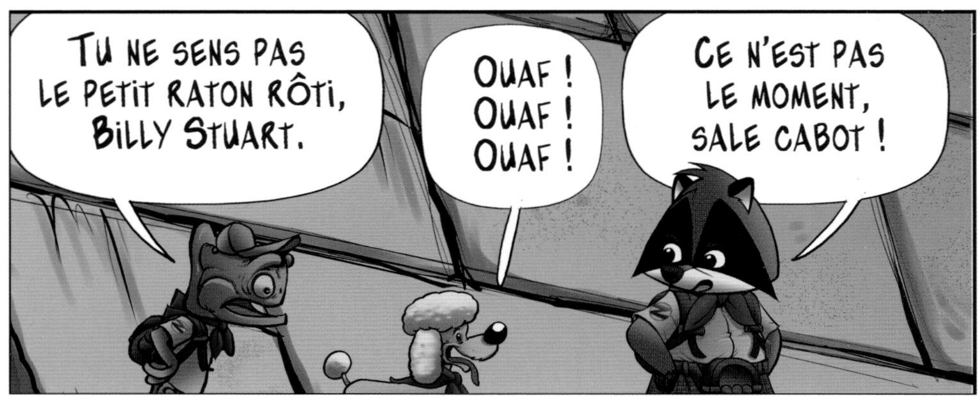

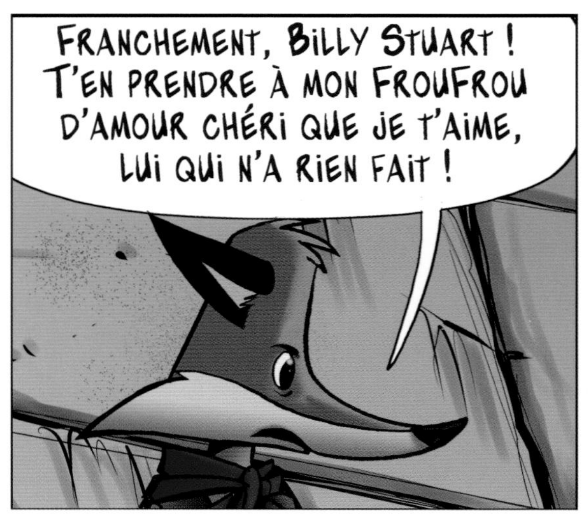

Nous obéissons sur-le-champ et une volée de lances à la pointe d'acier nous ratent de peu.

Yéti, la belette, court aux extrémités de la plateforme. Excité, il serre les poings.

Un adjectif qualifierait à la perfection notre situation: désespérée.

Nous nous trouvons, les Zintrépides, au sommet d'une PYRAMIDE haute de plusieurs étages. Nous l'avons escaladée, une pierre à la fois, pour échapper à nos poursuivants, des hommes-chacals.

Nous avons bien fait de suivre les **traces** de Tétishérye. Grâce à notre jeune guide, qui tient un chat dans ses bras, nous avons pu atteindre l'endroit le plus élevé de la pyramide. Tétishérye a les cheveux rasés, à l'exception d'une mèche noire sur le côté.

La construction cachait son lot de pièges ; certains blocs se renversaient et entraînaient, dans le ventre de la pyramide, quiconque avait eu le malheur d'y poser le pied. Les hommes-chacals étaient visiblement plus lourds que nous. Un **CLAC !** inexorablement suivi d'un **AAAAAAAAAAH !**

Une seule fois, nous avons failli perdre Muskie. La mouffette avait la tête ailleurs et le sol s'est ouvert sous ses pas. Elle a été sauvée à la dernière seconde. Ramenée en toute sécurité, elle nous a dit pour tout remerciement :

— Que j'en voie un se permettre une remarque !

Muskie se montre assez ***susceptible*** quand il est question de son poids. Elle sait ce à quoi pensent ses amis, surtout le caméléon.

Galopin hausse les épaules :

— Les faits parlent d'eux-mêmes…

Nous voilà donc réfugiés sur une plateforme qui doit faire une dizaine de mètres carrés.

Il n'y a pas moyen de fuir.

Peu importe où nous regardons plus bas, il y a des **hommes-chacals** tout autour sur la pyramide. C'en est décourageant.

Soudain, un immense nuage de **POUSSIÈRE** est soulevé, à l'image d'une tempête de sable, mais il est très localisé.

De ce nuage de poussière surgit un géant. Un COLOSSE d'une taille de près de 10 mètres, si j'en juge par les hommes à ses côtés. Ceux-ci se sont sagement retirés pour lui laisser tout l'espace nécessaire et pour ne pas se faire piétiner.

À la base de la pyramide, un petit être excité brandit un court bâton vers nous. Le géant lève la tête dans notre direction.

HORREUR ! Son regard est vide et son visage, sans expression.

Ce géant est en pierre grise.

— Le géant du Nord ! avertit Tétishérye.

Sans plus attendre, le colosse entreprend l'ascension des parois de la pyramide. Une montée lente et méthodique. Il ne lui suffira que de quelques minutes pour nous rejoindre.

Nous sommes sans voix, sauf Yéti.

— Qu'il y vienne ! Non mais, qu'il y vienne, le bonhomme de PIERRE, que je lui donne mal au bloc !

Je soupire de désespoir.

Billy Stuart et les Zintrépides savent comment ils ont pu en arriver là. Mais pas vous, chers lecteurs et lectrices. Remontons dans le temps… En fait, retournons vers le futur… Euh… Oui, c'est ça : *Retour vers le futur* !

Guiby
L'ÂME NOIRE

UNE AMIE DISPARUE

Retour vers le futur… dans ma maison, construite sur la rue **ROUGE ÉCOSSAIS**, à Cavendish. Assis dans mon lit, je lis et relis une lettre écrite par mon grand-père, l'explorateur Virgile Stuart.

Je suis sous le choc ! Mon grand-père, qui nous a entraînés, mes amis et moi, dans un mouvementé voyage dans le temps[1], veut encore **REMONTER LE PASSÉ**. Cette fois-ci, il désire se transporter à l'époque des pyramides pour retrouver une amie disparue, l'égyptologue Lily Mackenzie.

Spontanément, je bondis hors de mon lit et me précipite à l'extérieur de la maison. C'est là que je rejoins les **Zintrépides** : la renarde Foxy, la mouffette Muskie, le caméléon Galopin et la belette Yéti. Eux aussi ont reçu une

1. Voir la série *Billy Stuart*, Éditions Michel Quintin.

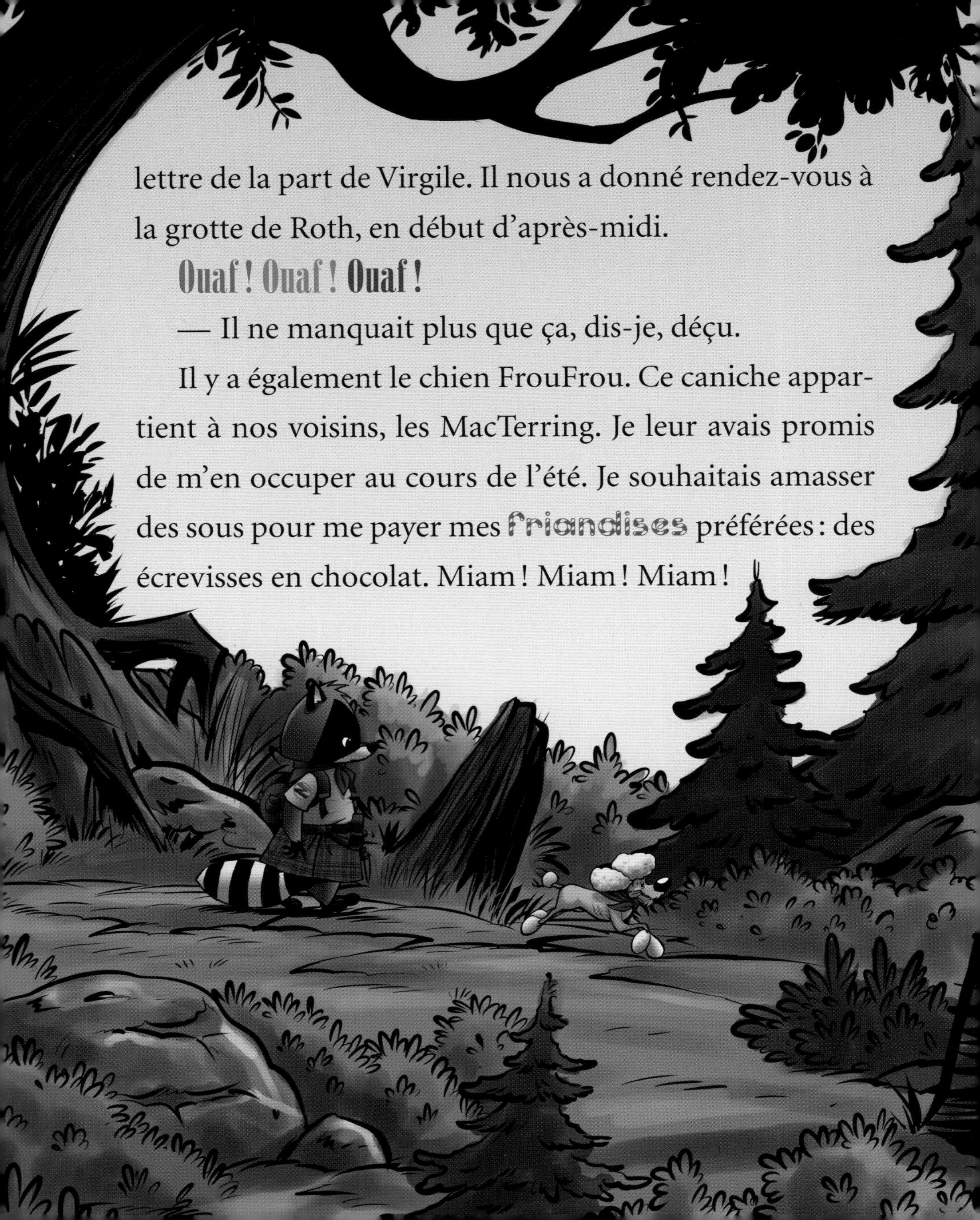

lettre de la part de Virgile. Il nous a donné rendez-vous à la grotte de Roth, en début d'après-midi.

Ouaf ! Ouaf ! Ouaf !

— Il ne manquait plus que ça, dis-je, déçu.

Il y a également le chien FrouFrou. Ce caniche appartient à nos voisins, les MacTerring. Je leur avais promis de m'en occuper au cours de l'été. Je souhaitais amasser des sous pour me payer mes friandises préférées : des écrevisses en chocolat. Miam ! Miam ! Miam !

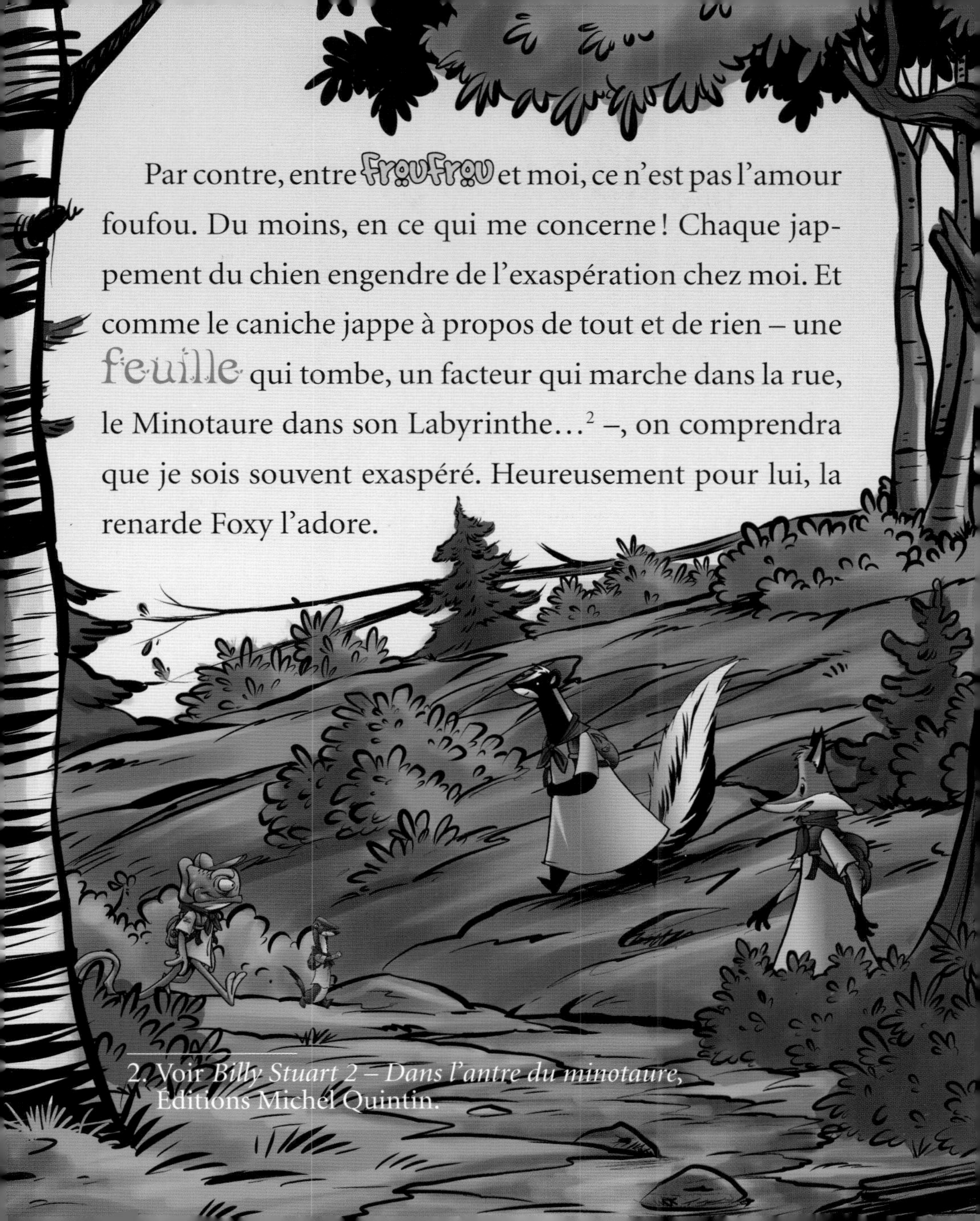

Par contre, entre FrouFrou et moi, ce n'est pas l'amour foufou. Du moins, en ce qui me concerne ! Chaque jappement du chien engendre de l'exaspération chez moi. Et comme le caniche jappe à propos de tout et de rien – une feuille qui tombe, un facteur qui marche dans la rue, le Minotaure dans son Labyrinthe…[2] –, on comprendra que je sois souvent exaspéré. Heureusement pour lui, la renarde Foxy l'adore.

2. Voir *Billy Stuart 2 – Dans l'antre du minotaure*, Éditions Michel Quintin.

LA TROUPE DES ZINTRÉPIDES EST AINSI UNE NOUVELLE FOIS RÉUNIE DANS LA FORÊT DES KANUKS.
LE GROUPE ARRIVE À DESTINATION DEVANT LA GROTTE DE ROTH.
OÙ EST TON GRAND-PÈRE, BILLY STUART ?
IL EST PEUT-ÊTRE DÉJÀ PARTI POUR SON VOYAGE DANS LE TEMPS...

TON CHIEN SE SAUVE DANS LA GROTTE !

BON... VOILÀ AUTRE CHOSE !

ET CE N'EST PAS MON CHIEN, GALOPIN !

OUAF!
OUAF!
OUAF!

3

Dans les entrailles de la grotte

Le chien FrouFrou s'est enfoncé dans une galerie de la grotte de Roth. Nous nous élançons sur ses pas. Éclairés par nos LAMPES DE POCHE et guidés par ses jappements de plus en plus lointains, nous progressons dans la grotte.

— Dis, Billy Stuart, commence Muskie, inquiète. As-tu une idée de l'endroit où on aboutira si on franchit la VOIE DE PASSAGE ?

Hum… Je l'ignore.

— Dans sa lettre, mon grand-père a parlé de sa collègue Lily Mackenzie, spécialiste des pyramides.

Nous continuons de nous déplacer.

Ouaf ! Ouaf ! Ouaf !

Le chien FrouFrou rejoint Foxy, qui le comble de caresses et de mots doux.

— Ah, tu étais là, toi ! s'exclame la renarde. Je me suis ennuyée de toi, mon beau FrouFrou d'amour chéri que je t'aime !

J'affiche un air renfrogné.

— Moi, il ne m'a pas manqué du tout, ce...

La pente du couloir est descendante.

— On dirait qu'on s'en va dans les entrailles de la grotte, observe Muskie.

— Eh, Billy Stuart, reprend Foxy, si on continue d'avancer, comment on va faire pour savoir où aller ?

Je cesse de marcher.

— Euh...

Je me rends compte que je n'ai aucune idée vers où j'entraîne mes amis. Les Zintrépides se regroupent autour de moi pour évaluer la situation.

— Ton grand-père nous a donné rendez-vous, mais il n'est pas ici. Il serait plus prudent de rebrousser chemin,

recommande Foxy. Surtout qu'on a retrouvé ton chien, Billy Stuart.

— Oui, c'est dommage en effet, dis-je dans un soupir.

— On fera un VOYAGE DANS LE TEMPS lors d'un prochain futur, déclare Galopin.

C'est en revenant sur nos pas que nous découvrons que cette galerie est à sens unique.

— Ça parle aux millions d'écrevisses de la rivière Bulstrode !

Une paroi rocheuse nous bloque l'accès vers la **SORTIE**.

Muskie frappe le mur de ses mains. Sans résultat.

Foxy a tôt fait de calmer la mouffette.

— C'est inutile, Muskie, lui dit-elle avec compassion.

— Ouais ! renchérit Galopin. Sinon, dans l'énervement, tu risques de nous arroser !

Tout à coup, nous avons l'impression de ressentir un poids écrasant sur nos épaules. Comme si le PLAFOND de la galerie se rapprochait de nos têtes.

— On a franchi une voie de passage, Billy Stuart, indique Foxy.

Le trouble de sa voix trahit un accent de fatalité, un sentiment partagé par tous, à une exception près.

— Youpppiiii ! C'est un départ ! se réjouit la belette.

Il nous est désormais interdit et impossible de revenir à l'entrée de la grotte de Roth. Nous n'avons plus le choix. Nous devons avancer.

Ouaf ! Ouaf ! Ouaf ! fait FrouFrou.

Je braque mon faisceau LUMINEUX sur un mur. J'ai vu quelque chose. Mes doigts sondent la surface pour confirmer mes doutes.

Je désigne une marque gravée dans le roc. Un V dont les lignes se prolongent à sa base et qui fait ressembler la lettre à un X.

— V pour Virgile ! annonce Foxy.

— La marque de mon grand-père. Il est passé par ici.

Ouaf ! Ouaf ! Ouaf !

— Quelle bonne nouvelle ! ajoute la renarde. Tout ça, c'est grâce à ton chien, Billy Stuart !

Je ne suis pas d'accord.

— Tu sais que ce n'est pas vrai, Foxy.

Elle en convient avec moi.

— Oui, sauf que ça me fait du bien de le dire !

La renarde sourit. Non pas parce qu'elle est contente de m'avoir CLOUÉ LE BEC, un peu, mais parce qu'elle a détecté quelque chose.

— Tu as vu ça, Billy Stuart ? dit-elle en effleurant la paroi à un endroit précis sous la marque de Virgile.

Je lis à voix haute :

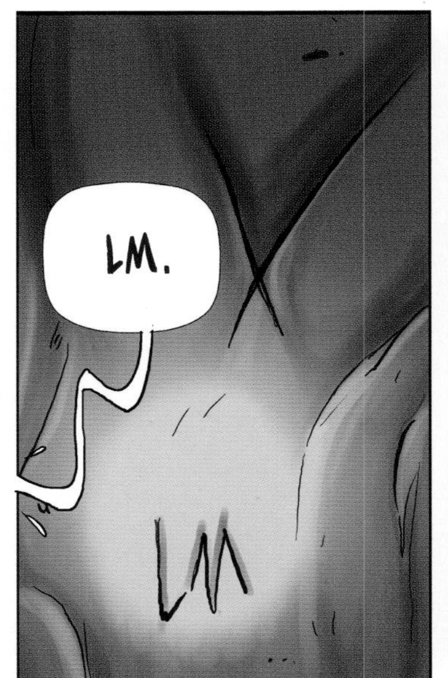
LM.
LM

QU'EN DIS-TU ? ON CROIRAIT QUE TU CONNAIS LA RÉPONSE...

LM, C'EST POUR LILY MACKENZIE, L'AMIE DE VIRGILE STUART... NOUS SOMMES SUR LA BONNE VOIE.

LE PIÈGE

Durant de longues minutes, notre groupe progresse dans une semi-obscurité, uniquement éclairée par nos lampes de poche. La galerie, large et haute, rétrécit au fur et à mesure que les Zintrépides s'y enfoncent.

Foxy n'a qu'à tendre les bras pour toucher le plafond de PIERRE.

— Je n'aime pas ça, Billy Stuart, dit-elle.

— J'ai l'impression que la terre se referme sur nous, estime Muskie, oppressée.

— Moi, j'ai la mine plutôt grise ! note Galopin, qui dit vrai.

Je me refuse de commenter. Je n'ai qu'un souci : s'il fallait que ce soit un CUL-DE-SAC !

Assis sur le chien, Yéti lève les bras aussi haut qu'il le peut.

— Je suis capable de continuer longtemps, dit-il.

Je m'accorde une pause et j'éteins ma lampe de poche.

Muskie pousse un cri :

— Là ! **DROIT DEVANT !**

— De la lumière ! s'écrie Foxy.

Sans même nous consulter, nous accélérons le pas.

— La pente remonte, constate Galopin avec justesse.

— C'est signe qu'on retourne à la surface, dit Muskie qui n'apprécie guère les espaces clos.

Je mène ma troupe vers ce qui ressemble à une **SORTIE**. La lumière au bout est vive et dorée.

De manière subtile, le couloir s'agrandit et change de forme, ce qui n'échappe pas à Foxy.

— C'est étrange, Billy Stuart. On n'est plus dans une galerie…

Du coup, le groupe ralentit pour relever le fait. Je tâte la surface de ma main.

— De la **PIERRE TAILLÉE**.

Avec ma lampe de poche, je note que la galerie est devenue un passage rectangulaire, plus haut que large. Ce ralentissement a contribué à sauver des vies puisque l'instant d'après, je hurle :

— 

!

J'étire les bras pour arrêter mes amis. Nous nous penchons au-dessus du TROU. Je braque le faisceau de ma lampe de poche.

— On n'en voit pas le fond, remarque Galopin.

Je prends le chien.

— En laissant tomber un objet, on peut en calculer la profondeur.

Foxy retire FrouFrou de mes bras.

— Rends-moi ton « objet », Billy Stuart ! Ce n'est pas l'heure de mener des expériences en physique !

Le caméléon étudie le trou.

— Ce n'est pas naturel, ça. C'est un piège. Voyez les bords… ils sont découpés.

Galopin ne s'est pas trompé dans son analyse.

— Troupe ! Soyons vigilants.

Une mince lisière de pierre de chaque côté du trou permet de contourner l'obstacle d'environ trois mètres de largeur. À tour de rôle, nous le franchissons avec une relative facilité. D'abord, la renarde. Puis, la mouffette.

Le cas FrouFrou suscite des problèmes : l'espace est trop étroit sur la **LISIÈRE DE PIERRE** pour qu'il y circule librement à quatre pattes.

J'en ai assez. Je m'empare de FrouFrou.

— Foxy ! Attrape-le !

La renarde s'oppose à l'idée.

— Non, Billy Stuart ! Ne fais pas ça !

Je me gênerais ! Je lance le chien au-dessus du **VIDE**, en direction de Foxy. FrouFrou hurle de peur :

Tout comme la renarde !

Le chien atterrit en toute sécurité dans les bras de Foxy. Je l'applaudis. FrouFrou remercie la renarde en lui léchant le nez.

Quant à Yéti, il recule de quelques pas, se met à galoper et SAUTE.

Le problème, c'est que la belette a mal évalué la distance à parcourir et manque l'objectif. Par chance pour Yéti, Galopin, déjà de l'autre côté, stoppe sa chute avec sa longue queue. Il le ramène sain et sauf.

À moi de prendre pied sur la lisière pour retrouver mes amis. En cours de route, j'échappe ma lampe de poche. J'essaie de la récupérer au vol, mais j'abandonne. Au prix de mille acrobaties, je parviens à regagner mon équilibre et ma position initiale, contre le mur.

Tous prêtent l'oreille pour écouter le BRUIT que la lampe produira en se fracassant contre le sol. Au bout de quelques secondes de silence, je rallie le groupe.

Nous nous remettons en marche vers la sortie. J'appelle mes amis à la prudence.

Billy Stuart

conserve tous les souvenirs de voyage de Virgile dans un grand cahier. Pour ajouter la lettre de son grand-père, notre ami dispose du matériel suivant:

- une règle,
- un bâton de colle,
- des ciseaux
- et un crayon.

Le crayon est plus éloigné de lui que la paire de ciseaux et la paire de ciseaux est plus proche que le bâton de colle. La paire de ciseaux se trouve juste avant la règle et le bâton de colle est un peu plus loin que le crayon.

Quel objet est le PLUS LOIN de Billy Stuart?

Solution à la page 154

5
Au sommet de la PYRAMIDE

Lorsque nous émergeons du couloir en courant, grande est notre surprise de constater que nous sommes sur les flancs d'…

— Une pyramide !

D'abord aveuglés par les rayons du SOLEIL, nous découvrons notre nouvel environnement.

— Et elle est GIGANTESQUE ! indique Foxy.

Nous sommes à une hauteur d'une dizaine de mètres au-dessus du sable, sur la face est de la pyramide.

Les BLOCS qui s'empilent pour former la pyramide sont immenses.

Perchés sur les rebords d'une pierre, mes compagnons et moi sommes estomaqués. La commotion est telle que nous mettons du temps avant de distinguer la présence d'humains, au pied de la structure. Ils sont une vingtaine, et eux également nous ont aperçus.

OH ! Ils ne sont pas contents ! Ces gardes – ils sont armés – paraissent obéir aux ordres d'un type chauve, court sur pattes, qui s'agite en tous sens. De nous voir sur la pyramide semble le rendre furieux.

Ses cris et ses exhortations nous alertent.

— Vous croyez qu'ils nous souhaitent la bienvenue ? soulève Muskie.

— Enfin, un peu d'action ! s'excite Yéti.

J'écarte la belette de mon bras gauche. Une longue lance me frôle et frappe la paroi rocheuse, près de Foxy.

— Eh ! En voilà une façon d'accueillir les touristes ! se plaint Galopin.

— Ils ne sont pas trop hospitaliers, ceux-là, dit Foxy.

— Qu'ils y viennent ! Non mais, qu'ils y viennent, les inhospitaliers ! s'énerve encore la belette.

Plus bas, le petit homme chauve secoue un bâton recourbé.

— **SACRILÈGE !** Il faut l'attraper !

C'est alors que je réalise que ce n'est pas nous qui avons déclenché cette hostilité, mais un jeune qui s'amène en grimpant les blocs avec une **AGILITÉ** déconcertante.

Le jeune aux cheveux rasés ne s'arrête pas en passant à notre hauteur.

Au sol, le petit homme chauve ordonne aux soldats d'escalader la pyramide pour nous capturer.

Muskie empoigne la belette par le collet et la force à l'accompagner.

Moins costauds que nos poursuivants, nous sommes avantagés dans notre ascension. De plus, grâce au jeune guide qui nous précède, nous évitons les pièges semés sur notre parcours, ce qui n'est pas toujours le cas des hommes-chacals.

Cependant, l'exercice est *épuisant*. Gravir les pierres imposantes de la pyramide, avec la contribution de tout son corps, n'est en rien équivalent à monter un escalier…

Nous grimpons sur la plateforme. C'est là, au bout de quelques secondes, que nous constatons l'apparition terrifiante du **géant** de pierre grise, qui se lance aussitôt à nos trousses.

La situation nous semble **DÉSESPÉRÉE**. Les possibilités de fuite sont nulles à la suite de notre escalade.

Voilà, chers lecteurs et lectrices, comment Billy Stuart et ses compagnons ont pu en arriver là.

UN BRUIT DE MOTEUR

C'est une vision de CAUCHEMAR, à glacer le sang.

Le géant de pierre continue son ascension vers nous. Sa montée sur la pyramide provoque un bruit d'enfer. Chaque fois que cet être fantastique agrippe un bloc pour s'élever, il ébranle la structure sans pour autant la menacer d'effondrement.

S'il nous met la main dessus, il va nous écrabouiller. Il en faut plus pour effrayer Yéti.

— Qu'il y vienne ! Non mais, qu'il y vienne, le gros caillou ! s'excite la belette.

Un peu plus et notre ami **format** réduit se précipitait à sa rencontre. Il est retenu par Muskie.

Tétishérye – c'est le nom de notre guide – ne se préoccupe pas du géant et de sa menace. Il caresse la tête de son chat et fixe l'horizon.

— Préparez-vous, nous dit-il avec calme.

Si notre guide est EFFRAYÉ, il ne le laisse pas paraître. Il a du cran !

Je lève les yeux. Si ce n'était de ce danger imminent, je proclamerais que notre point de vue est magnifique. La pyramide surplombe une vallée, avec le fleuve qui coule un peu plus loin, et les parcelles verdoyantes de terres cultivées qui contrastent avec l'infini doré du désert.

Au loin, une volée d'oiseaux se dirige vers nous. Des VAUTOURS venus se repaître de nos carcasses ?

Dans quelques secondes, le géant sera sur nous. À peine sur les traces de mon grand-père Virgile et de son amie Lily Mackenzie, voilà que le voyage dans le temps se termine pour nous, les Zintrépides.

— Les SECOURS ! avertit Tétishérye, le chat dans les bras.

Une tête **MONSTRUEUSE** de pierre grise surgit à notre hauteur.

La renarde Foxy rappelle FrouFrou.

— Viens ici, mon beau FrouFrou d'amour chéri que je t'aime.

Elle dépose un court baiser sur son museau, tel un au revoir **DÉGOÛTANT**.

Galopin, le caméléon, s'approche de moi.

— Tu savais que ça volait, des scarabées, Billy Stuart ?

C'est la dernière question à laquelle je m'attendais.

Mon ami a la tête renversée.

Je perçois un **BRUIT DE MOTEUR** au-dessus de nous…

Eh ! Il n'y avait pas de moteur à l'époque des pyramides !

Ce sont des battements d'ailes, ceux d'une dizaine de scarabées volants… et énormes !

— Je confirme, Galopin : les **scarabées** volent. Du moins, ceux-là…

Ces scarabées, qui font du sur-place comme des hélicoptères, sont pilotés par de jeunes hommes et femmes.

— Sa-Rê ! s'écrie Tétishérye en apercevant un adolescent.

Il est assis aux commandes d'un imposant scarabée aux ailes DORÉES ; le soleil se reflète sur sa carapace.

— Tiens bon, Tétishérye ! lance-t-il.

Le garçon effectue un geste bref. Subitement, des scarabées se détachent du groupe. Avec un synchronisme étonnant, ils se rendent harceler le géant. Celui-ci réagit en leur accordant son attention plutôt qu'à nous.

Les scarabées passent et repassent près de sa tête, risquant chaque fois un coup qui leur serait fatal. Pour les chasser, le géant agite ses mains d'une manière saccadée et maladroite. Il est incapable de les frapper et de les tenir à distance.

La diversion créée par les amis de Tétishérye réussit. Le géant ne remarque pas que des scarabées se sont posés sur la plateforme de la pyramide.

— **Montez !** ordonne Sa-Rê.

Chacun d'entre nous obéit et occupe un siège sur un de ces insectes. Je suis derrière Sa-Rê. Tétishérye ne se gêne pas pour exiger les rênes d'un autre scarabée aux ailes dorées, que lui confie un soldat de Sa-Rê.

— C'est moi qui conduis !

Le géant a deviné la manœuvre. Il ne se concentre plus sur les scarabées qui le harcèlent, mais sur nous.

Pire… **SUR MOI !**

Ses yeux vides de toute vie se braquent dans ma direction. Le géant ferme le poing et l'abat lourdement. Avec une lenteur désespérante, le scarabée que nous enfourchons, Sa-Rê et moi, décolle du point culminant de la pyramide.

S'il en avait eu, l'insecte aurait perdu des plumes tant la main du géant l'a frôlé. Nous en avons été quittes pour une bonne frousse.

Sous la **FORCE DE L'IMPACT**, le poing gigantesque brise une partie de la plateforme, qui vole en éclats.

Nous nous éloignons du danger et les scarabées abandonnent le géant pour nous rejoindre.

Plus bas, en dessous de nous, le vizir Mastaba pique une colère dont nous ignorons la COULEUR, mais qui est d'un VOLUME intense. À ses côtés, les hommes-chacals aboient leur frustration. Au moment où nous filons vers l'ouest, les CRIS du vizir parviennent jusqu'à nous, en dépit du bourdonnement ambiant produit par les ailes des scarabées.

1) J'ai quatre pieds et une tête, mais je ne marche pas.

★★★

2) Je suis le seul pied d'un mammifère.

★★★

3) J'ai des branches et un pied qui se mangent.

Le rat

1) Je suis le rat sans queue.

★★★

2) Je suis le rat bavard.

3) Je suis le rat pressé.

★★★

4) Je suis le rat flétri.

Solution à la page 154

7

Des crocos, des hippos et des...

Nous volons à basse altitude, à bord de la flottille de Coléopt-Air, depuis une trentaine de minutes. Le son engendré par le VROMBISSEMENT des ailes est assourdissant.

Je regarde partout pour m'assurer que tous mes amis sont toujours en selle sur ces gros insectes: Foxy? Oui. Muskie? Oui. Galopin? Oui. Yéti? Oui.

Le compte est bon.

Ouaf! Ouaf! Ouaf!

Le bruit n'est jamais assez fort pour m'empêcher d'entendre les jappements du chien. Je vais m'en plaindre à la compagnie aérienne...

Le caniche est derrière, à ma GAUCHE, dans les bras de Foxy. Sa tête, loin d'être blottie contre le corps de la renarde, est dégagée vers l'extérieur, avec la langue pendante. Il se croit en VOITURE ?

J'observe avec fascination que les coléoptères, malgré la charge supplémentaire de leurs passagers, se déplacent avec la plus grande aisance, même en rangs serrés. Sont-ils guidés par un seul esprit ? Ils réagissent tous, à la seconde près, au moindre mouvement du scarabée de tête, conduit par Sa-Rê. De loin, nous devons ressembler à ces spectaculaires nuées d'étourneaux qui volent de façon coordonnée.

Sur le Web, on peut trouver de nombreuses vidéos de ces vols d'étourneaux. Ça me rappelle aussi les Snowbirds, une équipe de démonstration aérienne des Forces canadiennes, connue et reconnue mondialement. Quant aux scarabées de Billy Stuart, on pourrait les désigner comme étant l'escadron des Snowbugs...

En dessous de nous, le paysage défile en une mer de sable sans fin, avec ses lagunes aux allures de crêtes de vague. Avec un peu d'imagination, on jurerait qu'elles bougent.

L'air est chaud, en dépit de la brise engendrée par la vitesse de nos montures. Au loin se détache une chaîne de montagnes vers laquelle nous nous dirigeons. Un peu à l'image d'un avion qui amorce sa descente vers un aéroport, nous perdons de l'altitude.

Nous filons maintenant à une vingtaine de mètres au-dessus du long fleuve, à vitesse réduite. Le large cours d'eau est encadré de falaises abruptes. J'aperçois des bancs de CROCODILES qui jouent les troncs d'arbres immobiles, espérant tromper une éventuelle proie.

Les reptiles se tiennent à une distance respectable de leurs voisins d'eau, les HIPPOPOTAMES, dont certains ouvrent la gueule à notre passage.

Je reporte mon regard vers le fleuve. De la berge, un corps gris aplati et ovale, sans tête, nage vers un hippopotame.

Qu'est-ce que c'est ? On dirait une punaise géante, de la taille d'un gros chien. Cette créature glisse carrément sur l'eau avec une aisance et une rapidité troublantes. Elle a deux énormes pinces à l'avant, qui s'activent à l'approche de sa proie. Puis la punaise se propulse hors de l'eau pour s'agripper au dos de l'hippopotame.

Elle plante sauvagement ses pinces dans les flancs de la bête, qui se démène avec énergie. Un truc POINTU jaillit de sa bouche et se fige dans la chair de l'hippopotame.

Comme à son signal, des punaises monstrueuses l'imitent et attaquent le troupeau. Si une des victimes réussit, avec sa gueule, à arracher le prédateur de son dos et à le mordre à MORT, peu ont cette chance.

Paniqués, les hippopotames visés se ruent hors de l'eau, souhaitant y trouver une **ISSUE**. C'est une erreur ! Car des punaises surgissent du sable et participent à cet **HORRIBLE** festin, avec un terme fatal pour les proies.

Le truc pointu auquel fait allusion Billy Stuart s'appelle un rostre. Les punaises injectent dans leurs victimes des enzymes qui servent à liquéfier l'intérieur du corps. Cela leur permet d'agresser des bêtes plus imposantes qu'elles… et de s'en nourrir. Elles emploient leur rostre comme une paille.

En guise de précaution, notre groupe effectue une légère remontée, histoire de creuser la distance entre les punaises géantes et nous. Je remercie la nature de ne pas avoir donné aux punaises la possibilité de voler.

…

Non !

Ce n'est pas vrai ! Je ne remercie pas la nature… Les punaises volent !

Deux prédatrices se sont arrachées de la surface de l'eau et foncent vers nous.

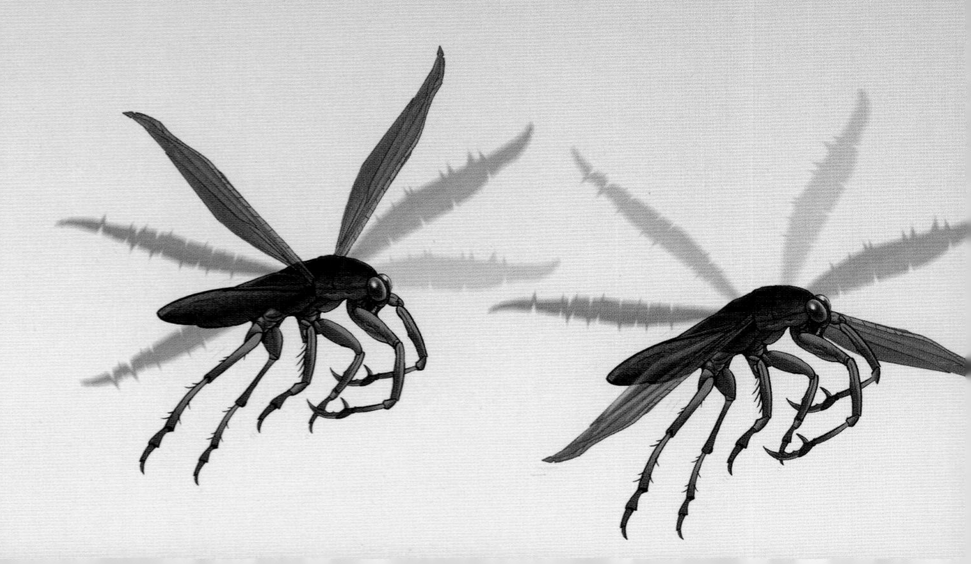

8
L'attaque des punaises VOLANTES

Tandis que, sur les berges du fleuve, des punaises géantes se régalent de la chair des hippopotames, deux d'entre elles nous ont choisis pour CIBLES.

Depuis quand les punaises aquatiques volent-elles ? Et malgré leur taille, elles sont rapides, beaucoup plus que nos scarabées.

L'effet sur le groupe est foudroyant et **dévastateur**. Si bien organisé tout à l'heure, le vol des coléoptères est maintenant anarchique, sans cohésion. Ça fuit dans toutes les directions.

L'aile brisée à la suite d'une **COLLISION** avec une punaise, un scarabée descend en vrille et s'écrase dans le fleuve. Quelques secondes plus tard, une punaise le rejoint. Les deux disparaissent dans l'eau, ne laissant aucun doute sur la conclusion de cette lutte. Seule note positive, le pilote a pu s'éjecter à temps et atterrir miraculeusement sur un **BOLIDE** de la troupe de Sa-Rê. Ces gardes – hommes et femmes – sont vraiment très habiles pour manœuvrer leurs montures.

Je sens une présence derrière moi.

Je rentre la tête. Les ***pinces*** d'une punaise allaient se refermer sur moi. D'un coup sur l'épaule de Sa-Rê, je lui signale la menace.

Je m'agrippe à sa taille. À partir d'ici, c'est l'équivalent d'un super manège dans une foire avec des descentes **VERTIGINEUSES**, des montées hallucinantes et des virages brusques.

Sa-Rê fait plonger son coléoptère à m'en donner un haut-le-cœur. Notre poursuivante passe au-dessus de nos têtes. La manœuvre ne nous procure que quelques secondes de répit. La punaise se remet à nos trousses. Elle est déjà derrière nous et s'approche furieusement.

Cette fois, nous piquons vers l'eau, à une vitesse folle. Sa-Rê ne pourra pas parvenir à redresser sa monture. Instinctivement, je retiens mon souffle avant le grand plongeon. Au dernier instant, l'adolescent tire avec forces sur les rênes pour exécuter un mouvement à angle droit.

Emportée par son élan, la punaise aboutit dans la gueule géante de l'un des rares HIPPOPOTAMES encore vivants et s'empale sur ses canines.

Nous quittons la surface de l'eau en évitant de justesse les crocs acérés d'un autre hippopotame rescapé du massacre. Puis nous reprenons de l'altitude.

Dans le ciel, une autre punaise géante talonne le scarabée aux ailes dorées de Tétishérye, sur lequel a aussi pris place Foxy. La renarde peine à garder FrouFrou contre elle, en raison des manœuvres serrées. Une fois, deux fois, ils se sauvent des pinces mortelles de leur ennemie. La troisième fois, un audacieux virage à 180 degrés désarçonne Foxy, qui échappe le chien FrouFrou.

Ouuuuuuaaaaaaaaaaaaaaaaaaaaaf ! hurle le caniche entre ciel et terre.

Sa-Rê conduit alors son coléoptère dans l'angle de la chute du caniche, non pas pour l'intercepter – le choc serait trop brutal –, mais pour l'accompagner. Plus bas, dans le fleuve, des CROCODILES espèrent ce repas à quatre pattes tombé du ciel.

Nous arrivons à la hauteur de FrouFrou. Le chien m'aperçoit.

Sa queue branle… **SA QUEUE BRANLE!**

— Attrapez votre chien, Billy Stuart! s'écrie Sa-Rê.

J'étire les bras et je le saisis pour le blottir contre moi.

— Ce n'est pas **MON** chien, Sa-Rê!

Nous remontons légèrement pour découvrir que la punaise est dans notre trajectoire, ses pinces antérieures prêtes à frapper.

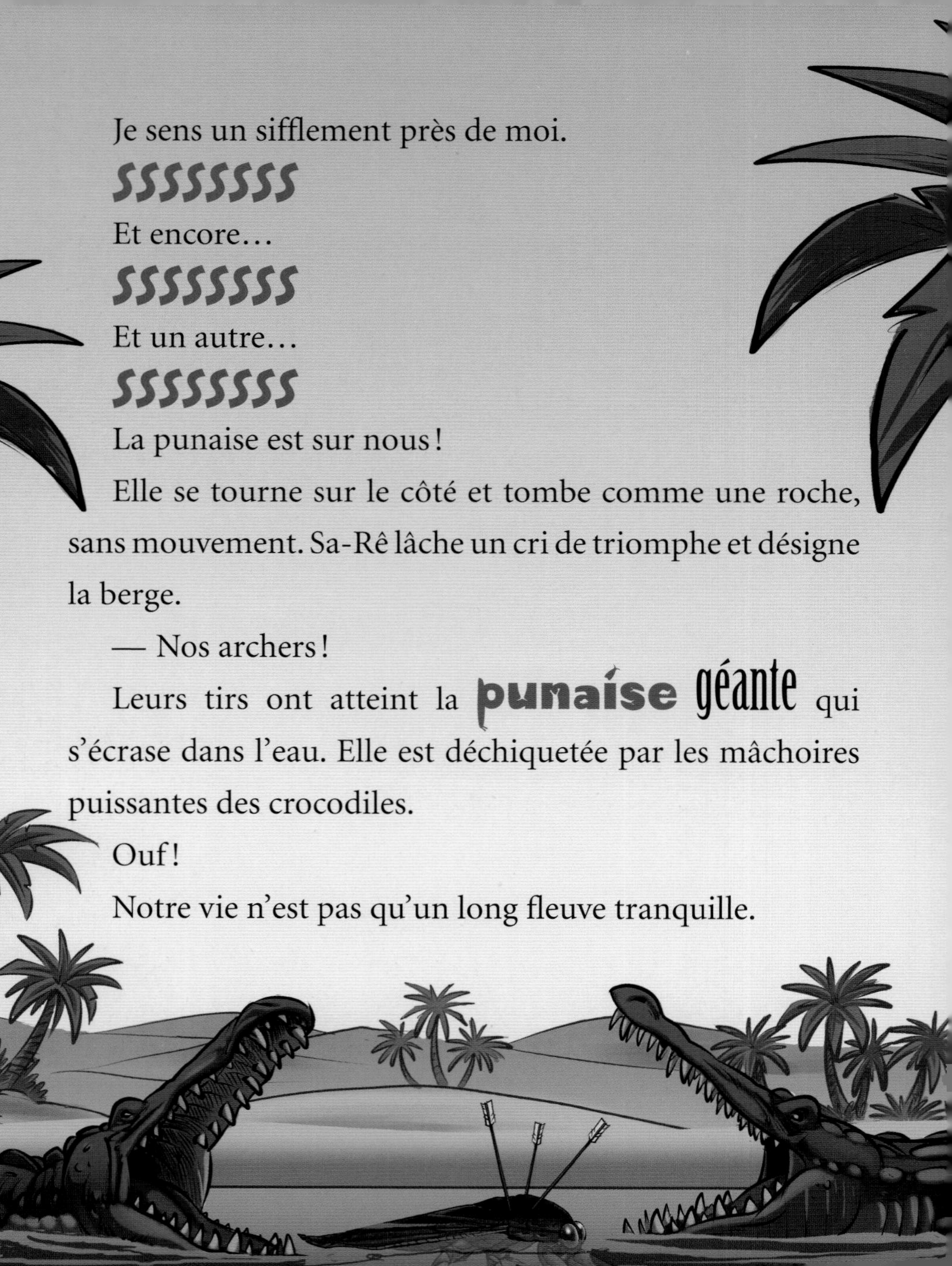

Je sens un sifflement près de moi.

SSSSSSSS

Et encore…

SSSSSSSS

Et un autre…

SSSSSSSS

La punaise est sur nous !

Elle se tourne sur le côté et tombe comme une roche, sans mouvement. Sa-Rê lâche un cri de triomphe et désigne la berge.

— Nos archers !

Leurs tirs ont atteint la punaise géante qui s'écrase dans l'eau. Elle est déchiquetée par les mâchoires puissantes des crocodiles.

Ouf !

Notre vie n'est pas qu'un long fleuve tranquille.

UN GARS, UNE FILLE...

Il m'apparaît évident que nous séjournons trop longtemps dans des lieux clos depuis le début de cette histoire. Après la GROTTE de Roth et ses galeries, les couloirs de la pyramide, nous voilà de nouveau privés de la lumière du jour.

Avec les Zintrépides, je suis en compagnie de Sa-Rê et de Tétishérye, qui caresse son chat, dans une vaste salle. L'endroit est éclairé modestement par quelques TORCHES fixées aux murs, à l'intérieur d'une montagne.

— Ici, nous sommes à l'abri des hommes-chacals du vizir Mastaba, explique Sa-Rê.

Le grand adolescent aux cheveux très noirs et à la peau brunie par le soleil n'est vêtu que d'un pagne. Il se déplace pieds nus.

Nous sommes assis sur le sol, à manger des raisins et des figues et à nous désaltérer avec un breuvage douceâtre, du sirop de caroube. L'air sec du DÉSERT et la tension des derniers événements nous ont déshydratés.

Tétishérye est près de moi et de Foxy. Je remarque à son oreille un petit cobra en OR qui lui transperce le lobe. Une question me brûle les lèvres. Comment l'aborder avec tact et doigté ? Simple, il suffit de compter sur les talents de diplomate de Galopin.

Sa-Rê, lui, fait les cent pas devant nous. Il contient sa rage avec difficulté. Je crois que le couvercle de la marmite est à la veille de sauter. Il s'arrête finalement face à sa cousine et EXPLOSE :

— À quoi as-tu pensé, Tétishérye ? lui dit-il, les dents serrées.

Elle n'est nullement intimidée. Tétishérye flatte son chat, comme si de rien n'était. Cela exaspère davantage son grand cousin.

Le chat égyptien sans poil ronronne, confortablement assis sur les genoux de sa jeune maîtresse. Tétishérye soutient le regard de Sa-Rê.

IL S'APPELLE MIOU ? CE QU'IL EST CHOU !

OUAF ! OUAF !

C'EST VOTRE CHIOU ?
NON, C'EST LE CHIOU DE BILLY STUART.

IL EST CHOU VOTRE CHIOU, BILLY STUART...

CE N'EST PAS MON CHIOU !

Cet intermède n'apaise en rien l'élan de Sa-Rê. Il gesticule avec ses bras pour appuyer ses propos.

— Tétishérye, reprend l'adolescent, tu te rends compte que tu as ruiné nos **chances** de récupérer le second sceptre de Khéoups ?

Dépité, Sa-Rê lève le nez sur l'animal.

— Tout ça pour un sale miou ! crache-t-il.

Piquée au vif, Tétishérye fulmine et chasse le miou de ses genoux. Devant la ***TEMPÊTE***, FrouFrou baisse la queue en signe de soumission.

— Ce sale miou comme tu le dis, Sa-Rê, est MON Miou. Il n'était pas question de l'abandonner aux mains de ces bourreaux !

ROUGE DE FUREUR, Tétishérye m'interpelle :

— Je suis persuadée que Billy Stuart aurait fait pareil pour son chiou !

Galopin regarde ailleurs. Muskie sifflote. Yéti boxe avec son ombre sur le mur. La renarde touche à mon bras.

— Billy Stuart aurait agi comme vous, Tétishérye. Il l'aime, son chiou d'amour !

Je marmonne à l'intention de Foxy :

— N'exagérons pas…

Sa-Rê n'en a pas terminé avec sa cousine.

— Tu as oublié qu'il faut retrouver l'autre sceptre, le *flagellum*, pour contrôler le géant, Tétishérye ? Sinon, le vizir Mastaba dominera la vallée des Géants pour le reste de sa vie.

Foxy fouille tout à coup dans son sac à dos. Je vis d'espoir : aurait-elle apporté des écrevisses en chocolat ?

— Tous les accès à la pyramide seront dorénavant bloqués, Tétishérye, déplore l'adolescent.

La colère du garçon se transforme peu à peu en résignation. Il desserre les poings et ses épaules s'affaissent.

— C'est toi qui devrais être sur le trône, Tétishérye. Pas le vizir ! souffle Sa-Rê.

Galopin me glisse une remarque à l'oreille.

— Le vizir veut être pharaon à la place du pharaon…

Allusion à un célèbre personnage de bande dessinée, le vizir Iznogoud. Il est l'œuvre du génial René Goscinny. Évoluant dans la série *Les aventures du calife Haroun El Poussah*, illustrée par Jean Tabary, le vizir veut devenir calife à la place du calife.

Un lourd silence pèse dans la caverne. Un silence brisé par le **RONRONNEMENT** de Miou, le halètement du chiou et le bruit des pages que Foxy tourne dans ce **livre** qu'elle consulte avec attention.

Un livre ?

CLAC !

!?!

QU'IL Y VIENNE ! NON MAIS, QU'IL Y VIENNE, LE **CLAC** ! JE VAIS LE FAIRE CLAC-CLAC-CLAQUER DES DENTS, MOI !

CALME-TOI, YÉTISHÉRYE !

M'AS-TU APPELÉ YÉTISHÉRYE ???

YÉTISHÉRYE !
YÉTISHÉRYE !

MÊME PAS DRÔLE !

QU'AS-TU EN TÊTE, FOXY ?
JE SAIS PAR OÙ ON PEUT ENTRER...

L'entrée secrète…

De nouveau, nous avançons dans une grotte, mais cette fois, à la lueur des torches. J'aurais dû faire des études en spéléologie.

La spéléologie est l'étude et l'exploration des cavernes. On comprend que Billy Stuart et ses amis en font une spécialité, avec leurs multiples aventures.

Notre petit groupe est formé des Zintrépides avec Tétishérye, sans son Miou. Nous sommes encadrés de deux **SOLDATS**.

Depuis environ une heure, nous progressons ainsi dans cette galerie creusée par la main de l'homme.

— C'est encore loin ? se plaint Yéti. Je commence à être fatigué.

Ça, c'est le COMBLE ! Il est assis sur le dos du chien FrouFrou.

Foxy répond à la belette :

— Une quinzaine de minutes, estime-t-elle.

Comment la renarde sait-elle ça ?

L'intelligence de mon amie ne cesse de m'épater. Sa prévoyance également. Avant d'amorcer ce voyage dans le temps, Foxy avait lu en détail la lettre de mon grand-père Virgile, dans laquelle il parlait de Lily Mackenzie, auteure du livre *Le secret des pyramides.*

La renarde a eu la brillante idée d'apporter ce livre avec elle. En le feuilletant, elle a vu que l'auteure avait consacré un chapitre à la pyramide de Khéoups. Elle y faisait notamment référence à un passage secret. Voici l'extrait :

« Le pharaon Khéoups avait exigé de ses architectes qu'ils construisent une GALERIE donnant accès à la pyramide, qui ne serait connue que de quelques initiés. De cette manière, le roi de la vallée des Géants croyait que si son âme n'accédait pas au royaume des morts d'Osiris, au moins

elle pourrait emprunter une **SORTIE** de secours… Ce couloir a été taillé dans le roc par des esclaves. Son entrée est située à une dizaine de kilomètres de la pyramide, en ligne droite avec le **SOLEIL** du matin. »

Il ne nous aura fallu que quelques heures pour localiser l'entrée, au cœur d'un amas rocheux. De leur côté, une masse importante des partisans de Tétishérye – impossible à chiffrer tant ils étaient nombreux – ont pris la direction de la **PYRAMIDE**, menés par Sa-Rê, en appui à notre groupe qui s'est engagé dans le passage secret.

Pourquoi nous mêler à tout ça si nous ne sommes pas concernés par cette histoire ? Pour une unique raison, et c'est l'auteure Lily Mackenzie qui nous l'a fournie dans son livre.

Extrait du **chapitre** sur la pyramide de Khéoups :

« Certaines galeries de la pyramide de Khéoups serviraient de voies vers d'autres structures semblables dans le monde. Cette théorie, on s'en doute, est contestée par la communauté scientifique. L'explorateur réputé Virgile Stuart est un ardent défenseur de ces voies de passage. D'ailleurs, il affirme qu'il existerait de tels "portillons temporels" dans des **GROTTES** au pays... »

Oui, mon grand-père Virgile est cité dans ce livre par son amie Lily Mackenzie. Ce n'est pas sans intérêt que nous accompagnons Tétishérye et Sa-Rê vers la pyramide de Khéoups.

Nous espérons y trouver une **piste** qui nous guide sur les traces de mon grand-père et de son amie égyptologue.

Un détail qui pourrait être prophétique : le petit cobra en or que porte Tétishérye à son oreille est un **symbole** qui confirme son statut de reine, selon le livre.

LMX

11
Quand on frappe un MUR...

Avec discrétion, la renarde me montre les marques sur la paroi de pierre, à la hauteur de nos yeux : les lettres LM, pour Lily Mackenzie, suivies d'un V que l'on confondrait avec un X... V pour Virgile, mon grand-père.

Nous sommes sur la bonne route, celle qui doit nous conduire à la pyramide de Khéoups. La pente du couloir est légèrement descendante.

— Arrêtez ! fait le garde à l'avant.

Nous nous regroupons près du garde de tête. Ce qu'il nous montre nous fige sur place. Un mur nous bloque la voie.

— C'est dans ton livre, ça, Foxy ? lui dis-je dans un murmure.

— Non, Billy Stuart, répond-elle de la même façon. Il est seulement question d'un passage secret.

On peut se fier à la mémoire phénoménale de la renarde. Est-ce que ça signifie qu'il sera nécessaire de rebrousser chemin ?

Alors que Tétishérye discute avec les gardes, L'ŒIL aiguisé de Foxy aperçoit un élément qui nous a échappé.

— C'est ce que je pensais, dit-elle, satisfaite.

Notre amie nous invite à regarder à la lueur de la torche.

— Voyez ici cette ligne continue…

Elle part d'en bas, remonte jusqu'à deux mètres, bifurque sur le côté sur un mètre et redescend vers le sol.

— Une **porte**, annonce Tétishérye.

— Oui, elle conduit à la pyramide, ajoute Foxy, avec assurance.

— Il suffit de la renverser, dis-je.

Cette séquence de la découverte de la porte et du besoin de la faire culbuter n'est pas sans évoquer un extrait de la bande dessinée *Le temple du Soleil*, une aventure de Tintin signée Hergé et parue en 1949 chez Casterman. C'est le 14e album de la série.

Mais Galopin me corrige aussitôt.

— Pas la renverser… La traverser !

Oups ! On a quitté Tintin pour Harry Potter, ce jeune sorcier créé par l'auteure J. K. Rowling. Les passagers pour le train Poudlard Express à la gare de King's Cross doivent foncer dans un mur et le traverser pour atteindre la voie 9 3/4.

Le caméléon ne l'écoute pas. Il recule de quelques pas et fonce dans le mur.

POC !

Il se heurte la tête sur la roche et s'écroule au sol, assommé.

Muskie s'occupe de Galopin. Foxy et moi examinons ce qui a tout l'air d'une porte jusqu'à preuve du contraire. Je l'explore du bout des doigts, en espérant y dénicher un MÉCANISME qui permette de l'ouvrir.

— Si mon grand-père et Lily Mackenzie sont passés par ici, nous devons faire comme eux, dis-je à Foxy.

Derrière nous, les gardes montrent des **signes** d'impatience alors que Galopin revient à lui. Il est vraiment sonné.

— Dobby ! C'est l'elfe Dobby qui veut m'empêcher d'aller à Poudlard, marmonne le caméléon.

Ici, Galopin évoque le début du deuxième tome de la série, *La chambre des secrets*. Harry Potter est incapable d'accéder à la voie 9 3/4, en raison de la magie de l'elfe Dobby.

Sur un ordre de Tétishérye, les deux gardes s'amènent pour tenter d'ébranler la **porte**, mais leurs efforts s'avèrent inutiles. Le chien FrouFrou s'avance et renifle à la base. Il lève la patte et laisse son empreinte…

— Il ne manquait plus que ça, dis-je, agacé.

Avec la pente descendante, le liquide obéit aux lois de la gravité et coule… sous la porte. Un grondement se fait entendre. Je m'énerve.

— Un tremblement de terre !

La porte pivote lentement en son centre ; la voie est libre. Foxy s'exclame :

— Bravo, mon beau FrouFrou d'amour chéri que je t'aime !

Je bougonne :

— Un coup de chance !

Elle félicite le chien d'un baiser sur sa tête.

L'un à la suite de l'autre, nous nous y engouffrons, en souhaitant que la porte ne se referme pas sur nous. Le grondement familier de tout à l'heure reprend.

— La porte ! dis-je avec empressement. Dépêchez-vous !

Les gardes n'ont pas le temps de passer.

CLAC !

La voie du retour nous est désormais impossible.

— Comme on se retrouve, rugit une voix grinçante.

Et la voie de l'aller n'est pas plus ouverte. Le vizir Mastaba nous attend avec ses **GARDES** dans un couloir de la pyramide.

Galopin, toujours ébranlé, titube vers notre ennemi.

Jeu no 3

Question(s) de logique

La route déserte

Galopin circule à vélo sur une route déserte. Il n'y a pas de lampadaire le long de la route. Le ciel est couvert, on ne voit pas la Lune. Un chat tout noir traverse devant lui. Le caméléon freine et le laisse passer.

COMMENT A-T-IL PU LE VOIR ?

L'arbre

Billy Stuart veut planter un arbre. Pour cela, il doit creuser un trou de 100 cm de profondeur sur 50 cm de large et 50 cm de long.

QUELLE SERA LA QUANTITÉ DE TERRE CONTENUE DANS CE TROU?

Avant ou après

Pour moi, **OCTOBRE** vient avant **SEPTEMBRE**, **JEUDI** avant **MERCREDI** et **LOIN** avant **PRÈS**.

QUI SUIS-JE ?

Solution à la page 155

12 MENACES

Nous venons de retomber dans les griffes du terrible vizir Mastaba. Ses hommes-chacals aboient leur satisfaction à l'idée de nous faire prisonniers.

Ouaf! Ouaf! Ouaf! jappe également FrouFrou.

— Tout ça, c'est la faute de ce sale cabot! dis-je à Foxy. On était en sécurité de l'autre côté de la porte.

— Franchement, Billy Stuart! proteste la renarde.

Le vizir Mastaba est de petite taille. Il a la tête rasée, ce qui accentue ses oreilles décollées. Il porte une barbiche. Curieusement, les traits sévères de son visage ne me sont pas inconnus. J'ai déjà vu cette figure ailleurs…

Son vêtement unique, dans les teintes de beige, s'apparente à une trop longue robe de chambre. Fait intrigant, une queue de taureau est attachée à son dos. L'homme sans âge tient dans sa main droite un bâton en forme de crochet. Je présume que c'est avec ce SCEPTRE qu'il doit animer son géant de pierre.

D'un signe du menton, le vizir ordonne à ses hommes-chacals de nous capturer. Inutile de résister, ils sont trop nombreux.

Nous sommes entraînés dans d'interminables couloirs – certains sont si bas qu'il faut ramper. Après plus d'une trentaine de minutes de ce régime, la lumière qui émane au bout d'une galerie nous indique une sortie prochaine.

À nouveau, l'air chaud et sec nous surprend, après notre séjour dans les grottes HUMIDES et étouffantes. Le retour au soleil fait naître un faux sentiment de sécurité. Le vizir Mastaba a d'autres plans pour nous.

Une fois tout le monde hors de la pyramide, on nous regroupe au pied de la construction. De notre position, elle m'apparaît encore plus imposante. J'ai peine à imaginer que nous l'avons escaladée, pourchassés par le géant de pierre. Eh ! Où est-il, celui-là ?

Je fouille les environs du regard, à sa recherche. Mastaba devine mes pensées.

Le vizir me réserve un sourire froid.

— Vous allez m'aider, Billy Stuart, à récupérer un objet qui m'appartient. Votre semblable a raté la mission que je lui avais confiée.

— Que lui est-il arrivé ? dis-je, inquiet.

Mon interlocuteur affiche un air indifférent.

— Je l'ignore. Il a disparu… Il n'est jamais revenu. Il est sûrement tombé dans l'un des multiples pièges de la pyramide. Les trésors du pharaon Khéoups sont férocement gardés.

Je jette un coup d'œil à Tétishérye. Elle hoche doucement la tête pour m'inciter à décliner sa demande.

— Et si je refuse ? lui dis-je en le défiant du regard.

Pour toute réponse, il brandit son sceptre vers la pyramide et hurle des mots dans une langue étrangère. Une lumière jaillit du bout de son bâton et frappe le sommet de la structure. C'est un signal…

Au loin, on entend un grondement, des pas lourds qui ébranlent le sol. Le géant de pierre surgit de derrière la pyramide.

Les hommes-chacals, en l'apercevant, se mettent à aboyer. Puis ils poussent les Zintrépides sur le SABLE… et les maintiennent couchés. Le géant n'est plus qu'à quelques pas de nous.

Son visage… Maintenant, je me rappelle où j'ai vu celui du vizir Mastaba ! Le géant a ses traits sévères, sa barbiche… et ses oreilles décollées ! La STATUE a été faite à son image.

Non, le géant ne va pas…

Le colosse de pierre lève le pied au-dessus de mes amis et le descend doucement vers eux.

J'ai compris.

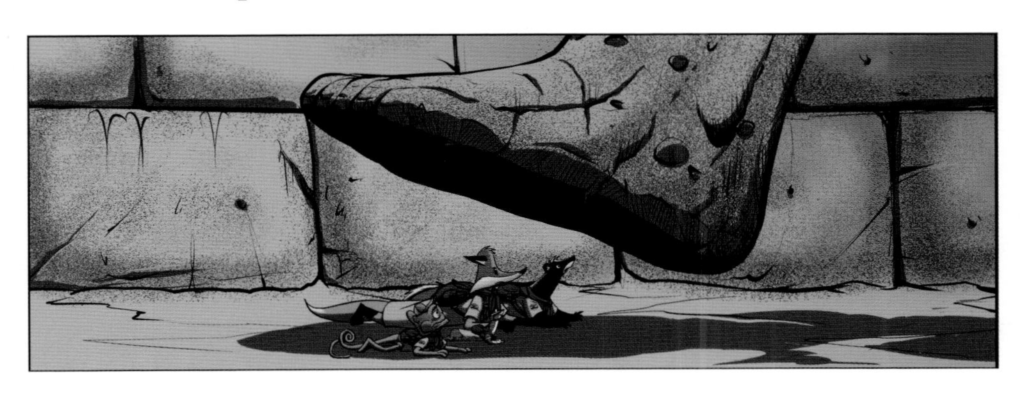

— Ça va… D'accord, vizir.

De son sceptre, il stoppe l'action du géant. Son pied n'était qu'à moins d'un mètre de mes compagnons. Mastaba agrippe mon foulard rouge et le sert contre ma gorge. Il rend ma respiration pénible.

Pouah ! Il a une haleine de scarabées pourris.

Ouaf ! Ouaf ! Ouaf !

— Et du chien ? dis-je sans cligner des yeux.

— Et du Chien, approuve le vizir. Nous n'avons pas eu le chat de Tétishérye. Par contre, votre chien fera l'affaire…

— Franchement, Billy Stuart ! soupire Foxy, plus troublée que fâchée.

DES SABRES QUI SE BALANCENT...

Nous progressons au cœur de la pyramide depuis une vingtaine de minutes. Je tiens une TORCHE dont la flamme éclaire les milliers d'hiéroglyphes gravés sur les parois tout autour de nous.

Le vizir Mastaba nous a désignés, Tétishérye et moi, pour accomplir cette mission : récupérer le deuxième sceptre de Khéoups, le FLAGELLUM, celui en forme de fouet à triple lanière.

Avec les deux sceptres en main, il pourra contrôler les deux géants de pierre et assurer sa domination sur la vallée des Géants. Ainsi, l'usurpateur volerait la place qui devrait revenir à Tétishérye, descendante du pharaon Khéoups.

Nous venons de visiter deux modestes chambres funéraires, mais l'objet recherché ne s'y trouvait pas, évidemment. C'est là que reposent les corps des architectes du temple. Pour les récompenser de leur travail, le pharaon Khéoups a accepté qu'ils l'accompagnent dans l'au-delà…

J'arrête de marcher. Un étroit couloir s'ouvre sur ma droite. Je sais – de par le plan qu'a remis le vizir à Tétishérye – qu'il ne mène pas au TOMBEAU de Khéoups. Il conduit… ailleurs. À l'entrée, je reconnais les marques de Lily Mackenzie et de mon grand-père Virgile. J'en prends bonne note.

Alors que Tétishérye aborde une nouvelle galerie, très large et haute, je vois le danger à la dernière seconde.

— ATTENTION !

Je fais une Muskie de moi et j'attrape la fille par le collet de sa robe pour l'attirer immédiatement vers moi. Je lui évite d'être coupée en deux par un SABRE monumental, à la lame tranchante des deux côtés, qui oscille à l'image du balancier d'une horloge grand-père.

Une mauvaise nouvelle n'arrivant jamais seule, six sabres géants surgissent sur une courte distance et bougent à des rythmes différents.

Ce **piège doré** a probablement été installé pour décourager les pilleurs de tombeaux.

En silence, Tétishérye et moi observons le mouvement des sabres. Nous n'avons pas le choix : nous sommes forcés de parcourir le couloir en dépit de ces **SINISTRES** pendules.

J'invite Tétishérye à étudier la course du premier sabre, puis du deuxième.

— On devrait y parvenir sans trop de difficulté. Ce sont les suivants qui posent problème…

La jeune fille ne m'écoute pas. Elle affiche un air déterminé face à l'obstacle.

— Quand il faut y aller…

— Pourquoi dites-vous ça, Téti…

Sans hésiter, elle court droit devant elle, en hurlant :

— AAAAAAAAAAAAAH !

C'est trop horrible ! Je ferme les yeux et je me bouche les oreilles pour ne pas entendre le bruit des sabres qui la hacheront menu et ses cris d'agonie. Dans mon esprit, elle a les bras tendus vers moi et elle me supplie :

— BILLY STUART ! BILLY STUART !

C'en est trop ! J'ouvre les yeux.

Ça parle aux millions d'écrevisses de la rivière Bulstrode !

Tétishérye a traversé la BARRIÈRE mouvante de sabres géants.

— Venez me rejoindre, Billy Stuart ! C'est facile !

— Facile ? Facile ? C'est facile… à dire !

Surtout que moi, j'ai une grosse queue à protéger.

— À 3, Billy Stuart ! 1, 2, 3 !

Je n'étais pas prêt. J'avance, je recule, je calcule. On dirait presque que je suis sur le point de m'élancer dans un jeu de saut à la corde. J'attends la fraction de seconde qui suit le passage de la corde lorsqu'on la tourne et qui constitue le moment idéal pour s'engager dans le MOUVEMENT.

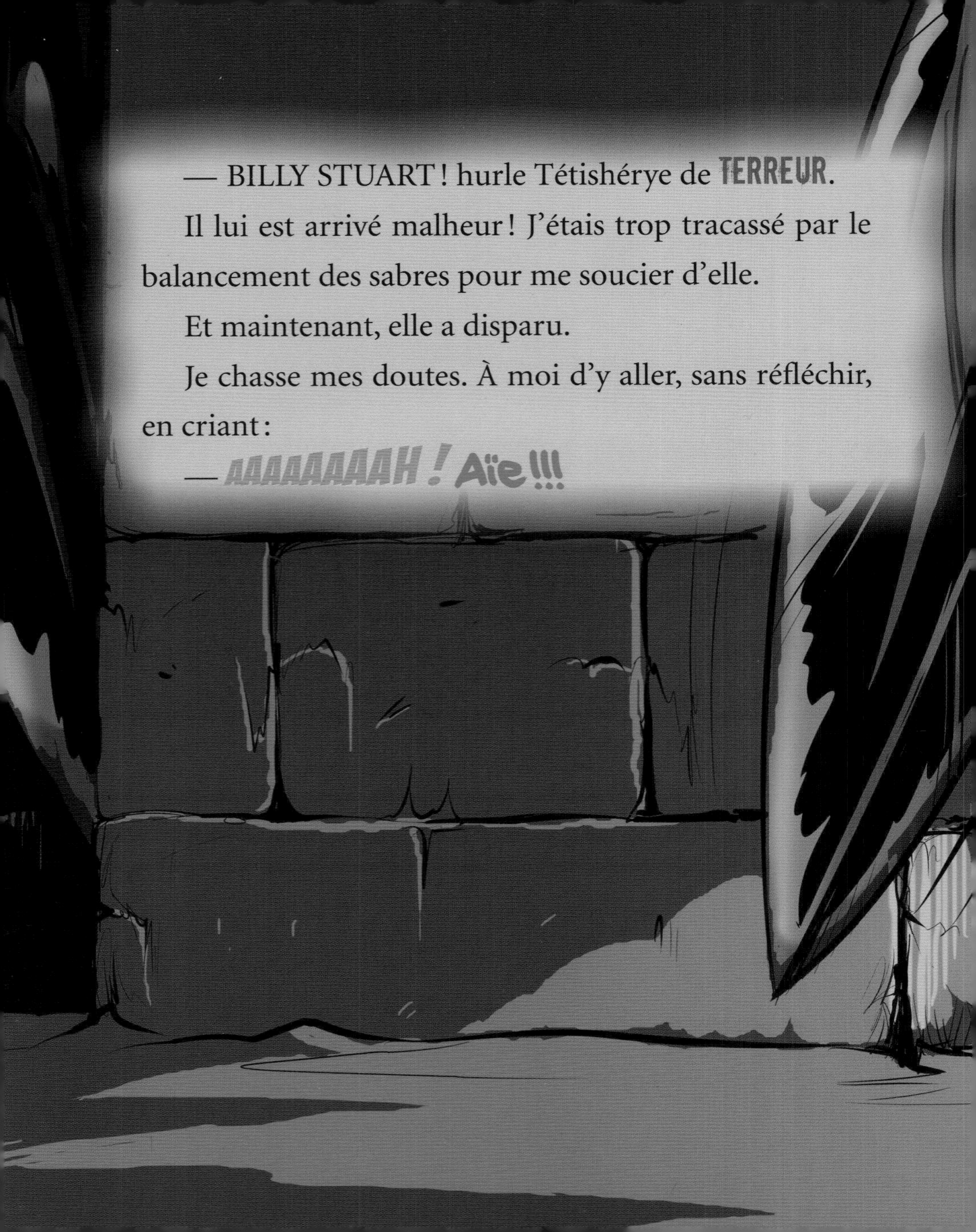

— BILLY STUART ! hurle Tétishérye de TERREUR.

Il lui est arrivé malheur ! J'étais trop tracassé par le balancement des sabres pour me soucier d'elle.

Et maintenant, elle a disparu.

Je chasse mes doutes. À moi d'y aller, sans réfléchir, en criant :

— AAAAAAAAAH ! Aïe !!!

Quoi ? J'ai réussi ? J'éclate d'un rire nerveux pendant que je fixe le piège **MONSTRUEUX** que j'ai franchi.

— Ha ! Ha !… Oh !

J'ai abandonné un peu de poil de ma queue à la **LAME** du dernier sabre. Tant pis pour moi.

Où est Tétishérye ?

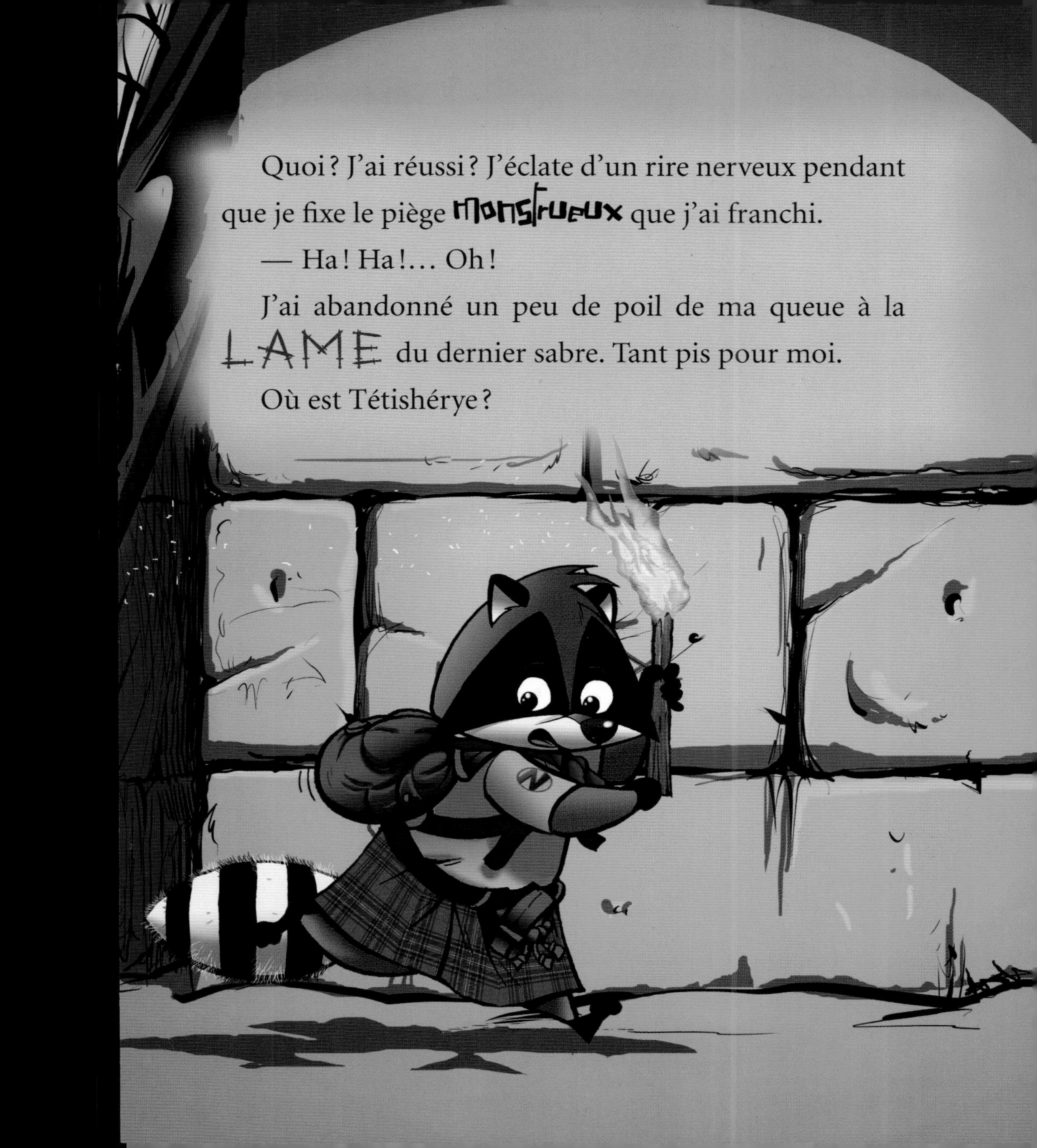

14
Près du sarcophage

J'élève la torche pour tenter de voir plus loin dans le couloir sombre. Pas de trace de Tétishérye. Qu'y a-t-il au fond ? Un monstre tapi dans l'obscurité qui n'espère qu'une chose : que je me jette dans sa gueule pour me dévorer ?

Je fais quelques pas…

Mauvaise idée !

Une trappe s'ouvre sous moi ! Je tombe de quelques mètres et j'aboutis dans une montagne de pièces d'or. **OUCH !** Atterrissage douloureux.

Ça sent le brûlé…

— Votre queue est en FEU, Billy Stuart !

— AÏÏÏÏÏÏE !

Tétishérye m'aide à l'éteindre en la plongeant dans un récipient rempli d'un LIQUIDE JAUNÂTRE et **ÉPAIS**.

— Merci, Tétishérye, lui dis-je avec reconnaissance.

Je constate les dommages à ma queue… Les temps sont durs !

Par chance pour nous, la flamme de ma torche continue de nous éclairer. Nous sommes dans une pièce de la taille d'une grande classe à mon école de Cavendish. En son centre repose un sarcophage spectaculaire en argent massif, dépourvu d'inscription.

— C'est le cercueil du pharaon Khéoups, murmure Tétishérye, émue.

Autour de nous, mille richesses et *mille trésors* : de l'or, des bijoux, des corbeilles de nourriture, des armes, des meubles, de nombreuses sculptures de chats, un bateau, des lits, des roues de chars, etc.

Soutenu par une dizaine de larges piliers, le plafond, élevé, est décoré D'ÉTOILES dorées peintes sur fond bleu foncé.

Quant à l'objet de notre quête, le *flagellum*, ce sceptre en forme de fouet, sa découverte contre un mur nous bouleverse : il est gigantesque.

Le bâton est si GRAND qu'il ne tiendrait pas debout dans cette vaste salle. De quelle manière le sortira-t-on de là ? Et par où ? Il doit peser des centaines de KILOS. Nous ne serons pas capables de le déplacer. Seul un géant de pierre réussirait à le transporter. Toutefois, il n'aurait pas accès à la chambre funéraire.

Nous nous approchons du sceptre. En d'autres circonstances, je l'aurais qualifié de *chef-d'œuvre* tant il est magnifique. Pas aujourd'hui…

— Pour le bouger, nous aurions besoin d'une grue…

— Une grue? s'étonne Tétishérye. Comment un oiseau nous prêterait-il assistance?

Des centaines d'années séparent ces deux définitions d'un même mot, qui au départ désignait un oiseau échassier au long cou. Le mot « grue », pour parler d'un appareil de levage, serait apparu pour la première fois au 15e siècle. Par contre, à l'époque de la construction des pyramides, on employait déjà le principe du levier.

Notre aventure se solde par un échec retentissant. C'est frustrant d'avoir atteint le **TOMBEAU** de Khéoups sans parvenir à rapporter le sceptre au vizir.

Je me laisse choir sur le dos, dans un étang de pièces d'or. Combien d'écrevisses en **CHOCOLAT** aurais-je pu m'acheter avec une pièce?

Je remue les bras et les jambes pour faire un ange dans la NEIGE dorée, avec des bruits de pièces qui s'entrechoquent. Je soulève la tête pour apercevoir Tétishérye, près du sceptre géant. La taille de l'objet la rend encore plus minuscule.

Que va-t-il arriver à mes amis ?

Avec délicatesse, Tétishérye pose ses petites mains sur l'objet sacré. Elle chuchote une phrase incompréhensible, à l'exception du nom « Khéoups ».

Que se passe-t-il ?

Une lumière **BLEUE** et **BRILLANTE** irradie des mains de Tétishérye et se répand sur tout le sceptre. Avec les reflets sur les pièces d'or et les trésors, l'éclat est aveuglant.

Est-ce une illusion d'optique ? On croirait que le sceptre rapetisse. Ou alors, c'est la fille qui grandit… Va-t-elle se transformer en géante ? Une géante de **PIERRE** ?

La lumière augmente d'intensité. Je ne vois plus Tétishérye. Je détourne le regard.

Quelqu'un me touche l'épaule. Je sursaute !

La forte lumière s'est évanouie.

C'est Tétishérye, souriante.

Elle n'a pas l'apparence d'une géante. Elle brandit le **FLAGELLUM** devant moi. Il est de taille normale.

15
Par ici, la SORTIE...

Célébrer le succès de notre mission n'est pas dans nos priorités pour le moment. Tétishérye et moi devons trouver un moyen de sortir du tombeau de Khéoups. Il nous est **INTERDIT** de remonter dans le couloir qui nous a conduits jusqu'ici ; la trappe est fermée et hors d'atteinte.

C'est là que l'aide de mon amie Foxy devient précieuse. Avant de m'enfoncer dans la pyramide, elle m'avait signalé que Lily Mackenzie, dans son livre *Le secret des pyramides*, faisait mention d'une **SORTIE** secrète dans la chambre funéraire de Khéoups. J'avise Tétishérye de cette possibilité.

— Comment pouvez-vous savoir tout ça, Billy Stuart ? me demande-t-elle, perplexe.

Je lui réponds le plus sérieusement du monde.

— J'ai étudié le sujet pendant plusieurs mois… Et si on la cherchait, cette sortie ?

Qui dit sortie secrète dit sortie discrète… Chacun de notre côté, nous longeons les murs en quête d'indices qui révéleraient son existence : des lignes tracées, des objets placés stratégiquement avec pour unique fonction de cacher quelque chose…

Au bout d'une heure d'intenses fouilles, nous en sommes au même stade.

Le pire dans cette histoire, c'est que Foxy m'a indiqué où cette sortie se trouve. Mais tandis qu'elle me parlait, le chien FrouFrou ne cessait d'aboyer. Je ne comprenais pas ce qu'elle voulait me dire. Et le vizir m'a obligé, ainsi que Tétishérye, à entrer dans la PYRAMIDE.

Je ne suis pas surpris que les Égyptiens vénèrent les chats et non pas les chiens ! Ils sont tellement…

…

Je l'ai frôlée, il y a quelques minutes, sans m'en soucier. Est-ce que possible que…

— Tétishérye, lui dis-je.

Elle me rejoint près d'une sculpture en d'un chien sur ses quatre pattes. Elle est isolée, dans un coin sombre du tombeau, perdue dans le décor à quelques mètres d'un mur. C'est la seule *œuvre*, dans toute la pièce, qui représente un animal de la gent canine. J'ai cessé de compter le nombre de chats sculptés.

Fébrile, j'essaie de remuer le **Chien** sculpté, d'une race indéterminée, sans toutefois l'ébranler. Me serais-je trompé ? Tétishérye se penche vers le chien, lui touche la tête avec le *flagellum* en s'adressant à lui dans une langue étrangère.

C'est avec un regard à la fois **fasciné** et **amusé** que je vois le chien lever la patte arrière. Au sol, j'aperçois un anneau fixé au plancher.

Je tire sur l'anneau et je soulève un panneau aux dimensions du couvercle d'un pupitre d'écolier. Nous ravivons la flamme de notre torche avec des bandelettes qui n'avaient pas servi à l'embaumement, puis nous nous engageons dans l'ouverture.

Le TUNNEL est à l'horizontale et a été conçu de toute évidence pour des personnes de petite taille. Nous devons ramper sur une longue distance, avec moi devant, porteur de la torche, et Tétishérye derrière, le deuxième sceptre de Khéoups bien en main.

La progression est laborieuse et douloureuse, car nous nous éraflons au sang les bras et les jambes. Malgré les conditions, mon kilt tient bon.

À en juger par nos efforts, nous avons l'impression que cette galerie s'étire sur des kilomètres. L'espace oppressant inspire un sentiment d'insécurité… Et si ce tunnel n'était qu'un piège? Et s'il y avait des personnes emmurées sur notre route?

À la lueur de ma torche, je remarque des trous sur les parois latérales.

Des **insectes** en sortent soudain. Ces bestioles vivent sûrement dans la pyramide et elles n'ont pas souvent de visite : elles se précipitent en masse pour nous saluer… et nous embêter ! Galopin aurait adoré. Pas nous.

Mon corps est recouvert d'insectes. Je les sens grouiller sur moi, même sous mon **KILT**. Je respire avec peine ; les insectes en profitent pour entrer dans ma bouche, dans mes narines, dans mes oreilles.

Un cri dans une langue inconnue retentit. C'est Tétishérye. Un ÉCLAIR illumine le passage et chasse tous les insectes, qui retournent s'engouffrer dans les trous.

Nous voilà libres !

Malgré l'exiguïté des lieux, j'arrive à me retourner pour la remercier. Le bout de son SCEPTRE est encore lumineux.

— Comment avez-vous fait ça, Tétishérye ?

Elle hausse les épaules.

— Je l'ignore, Billy Stuart ! Cette phrase a surgi dans ma tête et je l'ai dite en brandissant le *flagellum*.

Nous recommençons à avancer.

La galerie finit par s'élargir au point où nous pouvons marcher debout. Nous sommes revenus sur nos traces après avoir émergé d'un SOMBRE COULOIR. Et, bonne nouvelle, nous avons évité les sabres !

Tétishérye et moi pressons le pas, tout en faisant preuve de prudence et de méfiance. Il est réaliste de craindre la présence de pièges dans les derniers mètres.

Nos peurs s'avèrent non fondées.

Les DANGERS ne sont plus dans la pyramide… mais à l'extérieur.

Merci au comité d'accueil du vizir Mastaba.

Solution à la page 155

GRAND MASTABA

— Vous pourriez au moins nous remercier ! s'emporte Tétishérye.

À notre sortie de la pyramide, sans nous accorder un temps de repos, les **hommes-chacals** nous ont conduits au vizir Mastaba, aux abords du grand fleuve.

Dès qu'il a aperçu le *flagellum* de Khéoups, le vizir l'a arraché des mains de Tétishérye, ce qui lui a valu cette réplique en début de chapitre.

Ça parle aux millions d'écrevisses de la rivière Bulstrode !

Les **Zintrépides** sont attachés chacun à un poteau, sur la berge. Ils sont l'un derrière l'autre, du plus petit à l'avant jusqu'au plus grand. Le chien FrouFrou a une corde à son cou, reliée au pilier de la renarde.

Tout près, deux colonnes sont vacantes. Je crois savoir à qui on les réserve…

Je me rends auprès de mes amis pour les libérer. Mon intention est FREINÉE par deux hommes-chacals qui me barrent la route.

— Qu'est-ce que ça signifie, vizir ? dis-je d'une voix dure.

— Nous vous avons livré le deuxième sceptre de Khéoups, continue Tétishérye, autoritaire. Nous avons accompli notre mission. Respectez votre parole, Mastaba !

— Grand Mastaba, tonne-t-il.

Avec un rire sarcastique, il agite le nouveau sceptre.

— Je veux tester le *flagellum*. On verra pour la suite.

Le vizir serre un SCEPTRE dans chaque main. Il brandit celui en forme de crochet (qu'il avait déjà en sa possession) vers la pyramide et hurle dans une langue inconnue. L'extrémité recourbée de son bâton s'illumine et projette un ÉCLAIR en direction de l'imposante structure qui fait de l'ombre jusqu'à nous.

Au loin, un nuage de poussière, à première vue gigantesque, tourbillonne vers nous dans un grondement de plus en plus fort. C'est sans surprise que je vois jaillir de ce nuage la silhouette monstrueuse du géant de pierre grise. La terre tremble sous chacun de ses pas.

Son apparition est saluée par les ABOIEMENTS des hommes-chacals, membres de la garde. Le vizir oblige le géant à s'arrêter près du rivage.

L'être fantastique baisse ses oreilles décollées vers nous, toujours avec ce regard vide d'expression, aussi terrifiant que la première fois où je l'ai croisé sur la plateforme de la pyramide.

Satisfait, le vizir pointe le deuxième sceptre vers la pyramide. Je devine ce qu'il désire faire : avec le *flagellum*, il donnera vie au deuxième géant, celui de pierre noire, ancré sur son socle du CÔTÉ SUD du bâtiment.

Avec ces deux géants et l'armée d'hommes-chacals, sa **domination** de la vallée des Géants sera complète.

De nouveau, Mastaba crie dans une langue inconnue.

Rien ne se produit.

Il répète les mots en secouant davantage le deuxième sceptre de Khéoups.

Avec des résultats identiques.

Le vizir s'énerve. Il laisse tomber dans le sable son bâton en forme de crochet pour mieux se concentrer. Il tient le *flagellum* à deux mains et récite la même **formule**. Sans effet.

À quelques mètres de nous, Galopin éclate de rire.

— J'espère que vous avez conservé votre coupon de caisse, vizir !

L'homme est **FURIEUX**.

— Vous m'avez trompé, Tétishérye ! Ceci n'est pas le *flagellum* !

Dans un geste de rage, il rabat le bâton sur son genou pour le briser.

CRAAAC !

Le bruit ne provient pas de l'objet, mais de sa jambe.

Le vizir se tord de douleur. Autour de lui, les gardes ne savent trop comment réagir.

Vive, avec l'agilité d'un singe, Tétishérye se faufile jusqu'à Mastaba. Elle s'empare du sceptre et le braque en direction de la pyramide. Elle **HURLE** un ordre et un éclair est lancé du bout du *flagellum*.

— Enlevez-lui le sceptre ! s'écrie le vizir, la figure grimaçante.

Les hommes-chacals hésitent à lui obéir.

— Il arrive ! avertit Muskie.

Un nuage de poussière, aux dimensions alarmantes, balaie l'horizon, accompagné d'un grondement caractéristique.

Le géant de **PIERRE NOIRE**, celui du sud de la pyramide, s'amène avec ses gros sabots !

L'autre géant

Avec le *flagellum* de Khéoups, Tétishérye a appelé le géant du Sud, tout en pierre noire. Dans un VACARME à glacer le sang, il s'amène à grands pas vers le fleuve. Affrontera-t-il le géant du Nord ? Ou alors les deux colosses allieront-ils leur puissance aux forces du vizir Mastaba ? Si c'est le cas, c'en sera fini pour nous.

Nous guettons avec appréhension l'attitude des géants. Ils sont maintenant IMMOBILES, plantés face à face.

Le vizir, nerveux, ramasse le sceptre à ses pieds et le brandit vers son géant de pierre grise. Celui-ci se rue sur son vis-à-vis de pierre noire.

Le choc des TITANS !

Tétishérye imite le vizir pour animer son protégé, qui réagit une fraction de seconde après son opposant. C'est suffisant pour que le géant du Nord l'envoie violemment au sol. Ensuite, il agrippe une jambe du géant du Sud et l'entraîne vers le fleuve.

Pour le noyer ? Ce serait trop ridicule. On ne peut pas noyer ce qui est en pierre !

— Tétishérye !

Mon avertissement arrive à temps pour qu'elle voie le vizir rabattre son sceptre sur sa tête. Tétishérye se penche et esquive, au dernier moment, la manœuvre sournoise du vizir.

— Merci, Billy Stuart !

Le géant de Tétishérye, celui en **PIERRE NOIRE**, se débat comme si sa vie en dépendait. Il se dégage en assénant un coup de pied au bras de son agresseur, qui le lâche.

Le choc de pierre grise contre pierre noire est assourdissant et résonne pareil à des bruits de tonnerre.

Le vent vire en la faveur du géant du Sud. C'est le protégé de Tétishérye qui repousse son adversaire vers le fleuve. L'issue du **COMBAT** s'y trouve-t-elle ?

Ailleurs, les détenteurs des sceptres s'affrontent. Quand les deux bâtons se frappent, une pluie **D'ÉTINCELLES** s'en échappe, accompagnée d'un grésillement intense.

L'image que j'ai dans l'esprit en décrivant cette action est celle d'un Jedi qui se mesure à Dark Vador (Darth Vader, *in English* - *vader* signifie « père » en néerlandais), avec leurs sabres laser, dans le film *La guerre des étoiles*.

Dans tout ce fracas, j'entends Yéti, attaché à son poteau, qui hurle :

Le **TABLBLBLBLBL** ?

— Billy Stuart ! s'écrie Foxy. Le fleuve monte !

— Sauvez vos amis, Billy Stuart ! ajoute Tétishérye tout en poursuivant son combat avec le vizir.

Yéti est déjà sous l'eau. Avant longtemps, ce sera au tour de tous les Zintrépides.

Je m'élance vers eux. Encore une fois, des hommes-chacals se dressent devant moi.

C'est fou, j'en ai les oreilles qui **BOURDONNENT** !

Au-dessus de ma tête...

— À l'attaque ! lance Sa-Rê.

Le jeune général est sur son scarabée aux ailes dorées, appuyé par des centaines de gardes, eux aussi sur leurs coléoptères.

C'est la ***ruée*** vers les hommes-chacals. Sa-Rê se charge d'éliminer ceux qui étaient sur ma route.

Je n'ai pas la chance de lui exprimer ma gratitude.

Yéti est en train de se noyer !

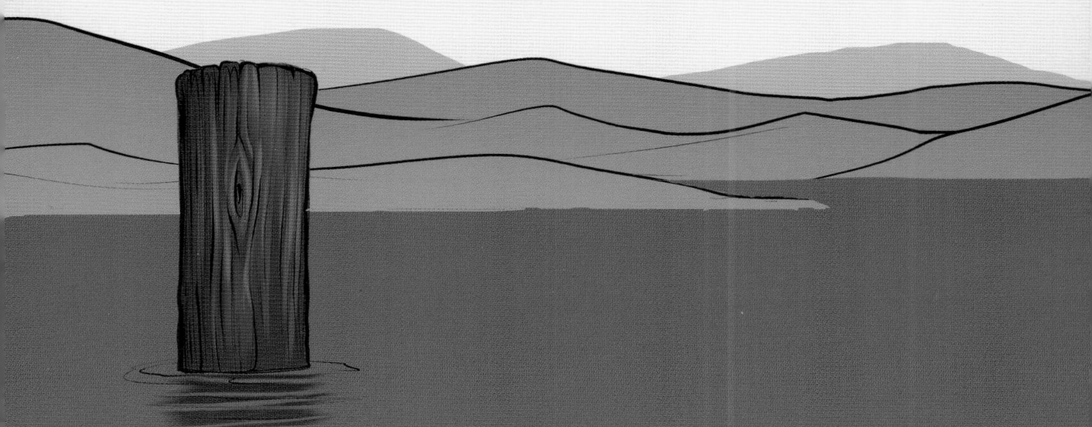

Même si l'eau du fleuve monte dangereusement, Yéti ne baisse pas les bras, ou plutôt les poings. Habitués à ces bravades, ses amis les Zintrépides n'en font plus de cas. À part peut-être Muskie, les autres l'ignorent le plus souvent.

Quelqu'un sait comment une si petite belette arrive à se croire si forte ?

PEUT-ÊTRE TROUVERAS-TU LA RÉPONSE EN DÉCODANT LE MESSAGE DANS LE TEXTE CI-HAUT.

Solution à la page 155

18
Les pieds de CALCAIRE

Je me précipite vers les Zintrépides. Premier objectif: libérer la belette. Je lève mes genoux le plus haut possible pour courir plus rapidement dans le fleuve. L'eau monte à vue d'œil et me ralentit considérablement.

J'aperçois la casquette de Yéti qui flotte. D'une main, je l'agrippe, puis je plonge. Je vois à peine le bout de mes doigts dans l'eau tant elle est BOUEUSE.

J'étire les bras pour atteindre le poteau de Yéti. Avec frénésie, j'essaie de repérer les liens pour les dénouer.

QUOI ?

Il n'y a plus de liens !

Et plus de Yéti !

Une horrible pensée me traverse l'esprit: la belette a été dévorée vivante par un crocodile ou un hippopotame. J'ai beau sonder du regard les environs, mon champ de vision est trop restreint. J'émerge.

Au bord de la **panique**, je hurle :

— Yéti ! Yéti !

J'entends à quelques mètres de moi :

La belette a réussi à se libérer toute seule. Mon ami nage vers le rivage, les yeux fixés sur les deux géants de pierre qui continuent de COMBATTRE sur la plage. Ils ressemblent aux lutteurs de sumo quand chacun se pousse pour tâcher de faire culbuter son adversaire. Dans leur LUTTE, les géants pulvérisent des rangées de palmiers. Des troupeaux de dromadaires fuient sagement les lieux en blatérant.

En toute hâte, je dois aider Galopin, Muskie – elle se presse d'intercepter Yéti – et Foxy. Le chien FrouFrou a trouvé refuge sur la tête de la renarde. Je dénoue leurs liens. Il était temps ! L'eau était à leur cou.

Enfin, nous voilà à pied sec sur la plage. Partout, c'est le branle-bas de combat. D'un côté, les géants se bagarrent. Sur leurs corps, ils portent des traces évidentes de leur lutte féroce. Aucun ne se démarque tant ils sont de forces égales.

La troupe de Sa-Rê sème la **PAGAILLE** dans le clan ennemi. Elle a un avantage majeur avec ses frappes aériennes qui déciment l'armée désorganisée des hommes-chacals.

Quant au duel de sceptres entre Tétishérye et le vizir Mastaba, il tire à sa fin. La fille assène les meilleurs coups. Plus jeune, plus résistante, elle épuise son opposant par des assauts répétés.

Un éclaboussement soudain et TITANESQUE se produit, ce qui pousse tous les combattants à arrêter pour observer la scène. Un des géants a été projeté au milieu du fleuve. Sa chute cause une vague MONSTRUEUSE qui balaie le rivage et en renverse plusieurs.

La vue du géant de pierre noire, les deux pieds sur le sable, me rassure. Que fera maintenant le géant du Nord ? Dégoulinant, il se redresse. L'eau est à la hauteur de ses genoux. Il s'apprête à revenir à la charge.

Le géant de pierre grise tend une main vers le vizir, tel un silencieux APPEL AU SECOURS. Puis il s'écroule sur lui-même.

— Un géant aux pieds de calcaire, commente Foxy.

UN TOURBILLON DE SABLE

Foxy a vu juste. À une vitesse phénoménale, le calcaire n'a pas résisté à l'eau qui l'a fragilisé. C'est pour cette raison que le géant du Nord a sombré dans le fleuve. Et c'est pourquoi les géants tentaient de se pousser l'un l'autre dans l'eau.

Le géant de pierre grise neutralisé, le groupe du vizir semble avoir perdu ses repères. Il n'y a plus de cohésion entre les attaques et les ripostes des hommes-chacals ; ce n'est pas le cas pour Sa-Rê et son armée, qui les mettent en déroute.

Les hommes-chacals s'enfuient de façon désordonnée. Le vizir est isolé. **Dépité**, il voit les restes de son géant dans le fleuve : la tête à demi sortie de l'eau et un avant-bras étiré vers le ciel… La scène est lugubre.

Mastaba tombe à genoux pour s'avouer vaincu devant Tétishérye. Dans un geste d'une rare humilité, le vizir tend la main vers elle. Tétishérye baisse sa garde.

MÉFIANCE.

Mon intuition crie au danger imminent.

— C'est un piège, Tétishérye !

Avec violence, le vizir happe la main de la fille et l'attire vers lui. Il joint les deux sceptres, dont le *flagellum* qu'elle tient toujours, et les dirige vers le ciel.

Un **PUISSANT** faisceau lumineux jaillit de l'union des deux bâtons. De la largeur d'un être humain, il grimpe sur une centaine de mètres. Puis il paraît percuter un plafond invisible pour se disperser dans le ciel, en un bruit incessant d'électricité statique.

Je me rue vers eux. Je m'efforce de retirer la main de Tétishérye.

— Lâchez le **SCEPTRE**, Tétishérye ! Lâchez-le !

— Je n'en suis pas capable ! gémit-elle.

Subitement, j'écope d'une formidable poussée qui me propulse plus loin sur le dos.

Ça parle aux millions d'écrevisses de la rivière Bulstrode !

Des NUAGES SOMBRES et menaçants se massent au point d'arrivée du jet de lumière et composent un GIGANTESQUE tourbillon de sable.

Le vizir clame sa satisfaction. Son sourire est éloquent.

— La vallée des Géants subira la **MALÉDICTION** des momies ! se réjouit-il.

Dans le ciel, le tourbillon génère un cri pareil à celui de mille chameaux. Ensuite, son embouchure s'abat lentement sur Tétishérye et Mastaba, comme s'il voulait les **DÉVORER**.

— À toi de jouer, Yéti ! lui dis-je.

La belette se rue sur le vizir et lui mord le bras, ce qui l'oblige à lâcher Tétishérye. Je bondis vers elle et l'entraîne à l'écart. À ce moment, le tourbillon engloutit l'horrible personnage dans un nuage de poussière. Puis il l'emporte, avec son sceptre, vers le nord où il disparaît rapidement à l'horizon.

20
La MALÉDICTION

Avec les hommes-chacals éparpillés dans la nature et le vizir évanoui on ignore où, le calme revient. Tétishérye et ses disciples occupent désormais l'ancien palais du pharaon Khéoups.

Tandis qu'à l'extérieur une foule monstre acclame sa pharaonne, nous avons préféré demeurer dans le palais. On nous a attribué une grande *chambre luxueuse* avec vue sur la pyramide et sur le fleuve.

Je signale à mes amis que j'ai repéré la prochaine voie de passage dans la pyramide de Khéoups.

— Les marques de Lily Mackenzie et de mon grand-père nous indiquent la route à suivre…

Tous m'écoutent avec attention, sauf Foxy qui caresse machinalement la tête du chien FrouFrou, couché sur le plancher, et qui consulte un livre. C'est un peu insultant.

Foxy, si ce que je te dis ne t'intéresse pas...
Mais oui. Mais oui...

Que lis-tu, Foxy ?
Qu'as-tu appris pour nous ?
Justement !
Le secret des pyramides

À PROPOS DE LA MALÉDICTION DES MOMIES... LILY MACKENZIE ÉCRIT CECI :

Certains spécialistes des pyramides d'Égypte, dont la réputée Barbara Mertz, rappellent une légende liée à une prétendue malédiction des momies...

Symboles de domination du territoire, les deux sceptres de Khéoups étaient recherchés pour leurs pouvoirs que l'on qualifiait de magiques. Selon la légende, ils auraient donné vie à des géants de pierre, ces statues gigantesques qui, encore aujourd'hui, montent la garde devant la pyramide.

Cependant, réunis, les deux sceptres pouvaient enclencher une série d'événements lourds de conséquences pour le royaume. Ainsi, on attribue à l'union de ces deux bâtons sacrés la fameuse malédiction des momies qui aurait déferlé sur le pays, dans les premières semaines du règne de la pharaonne Tétishérye.

Foxy fait une pause, avale péniblement sa salive et reprend sa lecture.

À leur réveil, les momies ont décidé de se venger de ceux qui les avaient sorties de leur sommeil éternel. Les malheurs se sont alors abattus sur les habitants de la vallée des Géants, menaçant l'autorité de la pharaonne sur son peuple.

QU'EN PENSES-TU, BILLY STUART ?
LA MALÉDICTION DES MOMIES...

TROUPE, IL FAUDRAIT AVERTIR TÉTISHÉRYE. ET VITE !

À SUIVRE...

Solution à la page 155

RECHERCHÉ
LE SECRET DES PYRAMIDES

RECHERCHÉ

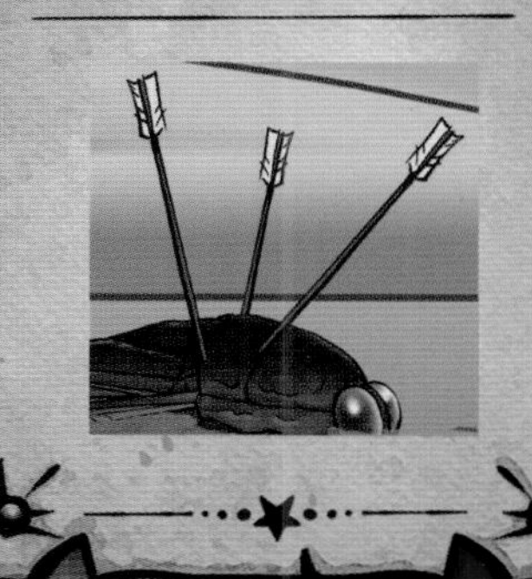

RECHERCHÉ

RECHERCHÉ

Jeu no 1

La lettre de Virgile (p. 36)

Le bâton de colle

Jeu no 2

Qui suis-je ? (p. 52)

LE PIED

1) Le lit
2) Le pied de biche
3) Le céleri

LE RAT

1) Le raccourci
2) Le raconteur
3) Le rapide
4) Le ratatiné

Jeu no 3

Question(s) de logique (p. 88)

LA ROUTE DÉSERTE : Il fait jour.
L'ARBRE : Dans un trou, il n'y a pas de terre !
AVANT OU APRÈS ? : Le dictionnaire

Jeu no 4

Problème (p. 116)

Nous sommes vendredi

Jeu no 5

Message codé (p. 130)

Même les Zintrépides l'ignorent.
Pour trouver le message, il faut prendre le premier mot de la première ligne, le deuxième mot de la deuxième ligne et ainsi de suite.

Cherche et trouve (p. 152-153)

TABLE des MATIÈRES

LES
COLLECTIONS
Billy Stuart

Les Zintrépides

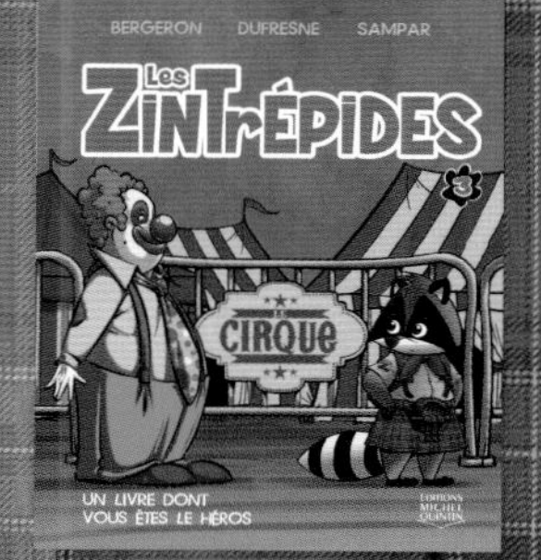

Billy Stuart

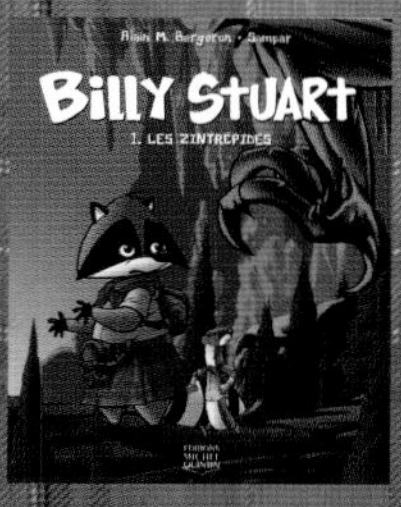

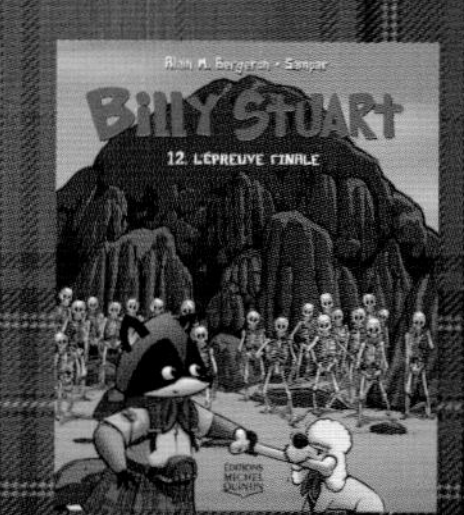

Rejoins
BILLY
ET SES AMIS
en ligne
billystuart.com